LOS LLAMADOS. . . LOS ESCOGIDOS

Dios siempre ha tenido un pueblo

Ken McFarland

Cubierta: Felipe A. Alvarado

Copyright 2007
Por
Alice Scarborough

Impreso en los Estados Unidos de América
por
los talleres gráficos de la
Review and Herald Publishing Association

Arte de la Cubierta
©Somerset Fine Art—James E. Seward

ISBN: 0-9799648-0-6

TABLA DE CONTENIDO

PRÓLOGO

Siempre es bueno mirar el panorama completo. La mayoría de las veces estamos atrapados en nuestro pequeño mundo, con desafíos y dificultades a nuestro alrededor que parecen anonadarnos. Entonces comenzamos a enfocar nuestra atención en las agujetas de nuestros zapatos y en las cosas comunes que nos rodean, en lugar de levantar la vista y mirar más allá del horizonte, para ver un panorama más amplio. Pero, mientras lo miramos, no debemos olvidar las necesidades grandes y pequeñas de nuestro alrededor. Jesús dijo en Lucas. 16:10: "El que es fiel en lo muy poco, también en lo más es fiel ". Asimismo, dijo en Lucas 21:28: "Alzad vuestras cabezas, porque vuestra redención está cerca". Ser fieles y humildes en las cosas pequeñas de la vida es tan importante, como mirar el panorama completo.

Este libro único, que lleva por título *Los llamados… Los escogidos*: Dios siempre ha tenido un pueblo, va a conmover su corazón, al ver la mano constante de Dios guiando y protegiendo a su pueblo fiel a través de la historia. Desplegará ante su vista el tema del Gran Conflicto. Como Adventista del Séptimo Día, le mostrará sus raíces desde el mismo principio de la historia y podrá, asimismo, ver el papel especial que Dios ha dispuesto que su iglesia desempeñe en los tiempos finales de la historia de esta tierra. Ciertamente, Jesús viene pronto, y la larga lista de creyentes seguidores de Dios y de la verdad, culminó en el movimiento del cual surgió la Iglesia Adventista del Séptimo Día.

Por medio de la Biblia y del espíritu de profecía, sabemos que esta iglesia constituye el pueblo remanente de Dios, su iglesia remanente, la cual ha de proclamar el mensaje de los tres ángeles con el poder del Espíritu Santo, mostrando a la gente a Cristo y su poder salvador, así como el arrepentimiento, la justificación por fe, la verdadera adoración a Dios y la segunda venida de Jesús. El espíritu de profecía enfatiza lo dicho con las siguientes palabras:

"Se me ha instruido que diga a los Adventistas del Séptimo Día de todo el mundo, que Dios nos ha llamado como un pueblo que ha de constituir su especial tesoro. El ha dispuesto que su iglesia en la tierra permanezca perfectamente unida en el Espíritu y el consejo del Señor de los ejércitos hasta el fin del tiempo" (*Mensajes selectos*, tomo 2, pág. 458).

Si usted alguna vez ha dudado de la misión y el propósito de la Iglesia Adventista del Séptimo Día a la cual pertenece, no siga dudando. Hemos entrado a un período de tiempo como ningún otro en la historia de esta tierra: un tiempo cuando el Señor usará a su iglesia en forma poderosa para proclamar el mensaje de Apocalipsis 14, y, mediante la gracia de Cristo, preparar a un pueblo para su pronta venida. Su iglesia ha sido llamada a realizar este cometido. Usted ha sido llamado(a) por Dios para logarlo. . . . Los llamados. . . Los escogidos, escrito por Ken McFarland, se ha inspirado en la visión del "panorama completo" de Hollis Scarborough, y confirma la siguiente declaración:

> "Los Adventistas del Séptimo Día han sido escogidos por Dios como un pueblo peculiar, separado del mundo. Con la piqueta de la verdad los ha sacado de la cantera del mundo, y los ha relacionado consigo mismo. Ha hecho de ellos sus representantes y embajadores en la última obra de salvación. Les ha pedido que proclamen al mundo la mayor suma de verdad que se haya confiado alguna vez a los mortales; y las advertencias más solemnes y terribles que Dios haya enviado alguna vez a los hombres" (*Testimonios para la iglesia*, tomo 7, pág. 138 [traducido del Inglés]).

¿Puede imaginar la responsabilidad que Dios ha puesto sobre usted y sobre mí en los días finales del gran conflicto entre Cristo y Satanás? Ésta es la razón por la cual deberíamos invertir tiempo cada día en un estudio cuidadoso de la Biblia y del espíritu de profecía, suplicando en oración por el poder del Espíritu Santo, y por la gracia de Dios, compartiendo este maravilloso mensaje que debe ser proclamado a todo el mundo. Nunca dude acerca de su fe y de la herencia que Dios le ha confiado. Este libro afirmará su convicción de que los Adventistas del Séptimo Día tienen una orden divina e inspirada para compartirla con el mundo. Considere atentamente este gran desafío:

"En un sentido especial, los Adventistas del Séptimo Día han sido colocados en el mundo como centinelas y como portadores de luz.

"A ellos les ha sido encomendada la última amonestación a un mundo que perece. Sobre ellos brilla la hermosa luz de la Palabra de Dios. A ellos les ha sido dada una obra de la más solemne importancia: la proclamación del mensaje del primero, segundo y tercer ángel. No hay otra obra de mayor importancia. No deben permitir que algo les absorba su atención" (*Testimonios para la iglesia*, tomo 9, pág. 19 [traducido del Inglés]).

Al leer este libro, y ver cómo Dios ha guiado a su pueblo a través del tiempo hasta el presente, descubrirá que el Señor sabía que su iglesia remanente de los últimos días habría de necesitar un guía especial. Él le proveyó tal guía mediante el espíritu de profecía, el cual nos conduce de nuevo a la Biblia. Dios concedió este don a la Iglesia Adventista del Séptimo Día, porque será ella el vehículo escogido por el cielo para proclamar el último mensaje al mundo y mostrar a la gente a Cristo, su pronta venida y la verdadera adoración a Dios, la cual durará por toda la eternidad. Dios indicó en Apocalipsis 12:17 que esta iglesia de los últimos días tendría dos características extraordinarias: guardaría los mandamientos de Dios, incluyendo el sábado, y tendría el testimonio de Jesucristo, que es el espíritu de profecía. Usted es parte de este gran movimiento; mientras lee este libro, se le recordará que al fin de cada capítulo se hallarán las inspiradoras palabras: "En cada época, Dios ha tenido un pueblo fiel y leal: Los llamados… Los escogidos, y todavía tiene un pueblo especial hoy".

Cuán emocionante es ser parte del pueblo de Dios que tiene el único y feliz privilegio de compartir el amor de Dios y las noticias del pronto regreso de Cristo al mundo. Así lo expresa Ken McFarland en este cautivante libro: "Tú eres uno de los mensajeros del remanente que saben cómo escapar con vida de este planeta y, por lo mismo, tienes la misión y el privilegio de compartir con otros esta buena nueva. . . Tú eres uno de los últimos escogidos por Dios". Sé que será bendecido, reanimado, inspirado y llenado del Espíritu para cumplir la misión, al leer cómo Dios ha conducido a su pueblo en el pasado, y cómo lo está conduciendo hacia un futuro de vida eterna … todo mediante el poderoso nombre de Cristo. ¡Qué privilegio es ser parte de su iglesia!

Ted N. C. Wilson
Vicepresidente
Asociación General de los Adventistas del Séptimo Día

"LA MÁS GRANDE HISTORIA JAMÁS CONTADA"

Este libro contiene una historia extraordinaria. Es la historia del largo conflicto entre el bien y el mal que comenzó hace miles de años y que todavía no termina. La historia de unos cuantos que han sido leales a través de los siglos, y que se han mantenido firmes y fieles del lado del bien. Pero en forma especial es la historia de aquellos que, cerca del fin de este mundo, ayudarán a terminar esta gran batalla.

Ésta es la historia de Los llamados… los escogidos. La historia de los que Dios ha llamado a salir del error y la rebelión y aceptar la verdad y la lealtad. Es la historia de los que Dios ha escogido para anunciar al mundo su verdad y demostrar cómo es realmente Dios.

Sepa que este libro no presenta una historia exhaustiva. Cada capítulo toca sólo algunos segmentos que otros libros ya han cubierto a profundidad. Para quienes desean un tratado más detallado de esta historia, su lectura está disponible en muchos otros libros que tratan el tema en forma excelente.

Nuestro propósito aquí es más bien proveer un mapa –a fin de poder viajar en forma tranquila a través del tiempo hasta el presente– y descubrir cómo los fieles seguidores de Dios hoy, son los eslabones finales de una cadena inquebrantable de fieles a Dios desde Adán hasta nuestros días.

Este libro no es un tratado erudito con notas de pie de página. Tampoco está escrito en forma de novela. Mejor aún, es un libro personal orientado hacia la gente, y que enfoca la relación de Dios con sus seguidores.

Este libro es un compendio abreviado de la misma historia descrita en la magnífica serie "El Conflicto de los Siglos", escrita por Elena G. de White. Pero aquí se halla incluida, además, una continuación del viaje del pueblo de Dios rumbo a su destino final durante las décadas posteriores de cuando esa serie fue escrita.

Lucifer y Miguel… Adán y Eva, Noé, Moisés, Pedro y Pablo, los Valdenses, Martín Lutero, Jaime y Elena White… y muchos otros desfilan en esta obra, e incluso el lector mismo.

LO GENUINO Y LO ESPURIO

Usted, apreciado lector, es un Adventista del Séptimo Día.

Sea que haya crecido en la iglesia o se haya integrado a ella posteriormente a través del bautismo, se le ha enseñado que la Iglesia Adventista es el remanente escogido: un movimiento que Dios mismo ha levantado para llamar a sus verdaderos seguidores a que salgan de "Babilonia" y de otras iglesias.

Pero, ¿está seguro de esto?

¿Está completamente seguro?

Después de todo, la Enciclopedia mundial cristiana identifica 10, 000 distintas religiones alrededor del mundo. Y una de ellas –el cristianismo– incluye a 33,830 diferentes denominaciones.

Cada una de esas 33, 830 denominaciones cree ser la única y verdadera iglesia de Dios en la tierra. Como prueba de ello, en su computadora, en uno de los buscadores en la gran red, como Google, escriba la frase: Iglesia verdadera, y hallará por lo menos medio millón de encabezados o entradas de quienes afirman ser la verdadera iglesia.

Pregunte a un mormón, a un testigo de Jehová o a un católico, y cada uno, sin vacilación, afirmará que la suya es la verdadera iglesia de Dios sobre la tierra. Así lo hará todo miembro de cualquier otra religión, ya sea judío, musulmán o budista.

Pero, ¿será que cada uno de ellos está en lo cierto?

Y si Dios tiene realmente un iglesia verdadera sobre la tierra, ¿puede el lector estar seguro que la suya –la Iglesia Adventista del Séptimo Día– es la verdadera?

Quizás esa pregunta usted ya la contestó hace mucho tiempo y no tiene ni una sombra de duda al respecto. Si es así, la historia que encontrará en las páginas que siguen, sin duda le confirmarán en esta certeza. Le ayudarán a ver el papel exacto que Dios le ha llamado a desempeñar en forma personal en este gran conflicto entre el bien y el mal; entre la verdad y el error.

No obstante, tal vez todavía luche, a lo menos ocasionalmente, con la pregunta si su iglesia –la Iglesia Adventista del Séptimo Día– es, en verdad, la depositaria del mensaje de Dios para los últimos días. A veces se preguntará si esa pretensión no es un poco audaz, exclusivista o aun arrogante. El lector recordará cómo el Israel del Antiguo Testamento, a pesar de ser el pueblo escogido por Dios y depositario de su Verdad, llegó a considerarse a sí mismo superior espiritualmente a todas las demás naciones, aun cuando se vieron inmersos en las prácticas paganas de esas mismas naciones. Si no ha contestado esta pregunta en forma conclusiva y final acerca del rol de su iglesia, la historia que va a leer en estas páginas seguramente le proporcionarán información, la cual le ayudará a descubrir su propia respuesta.

A mediados de la década de los 50's del siglo pasado en los Estados Unidos, un juego exhibido en la televisión salió al aire con el título: "Decir la Verdad ". Cualquiera que lo haya visto sabe que el programa presentaba a tres concursantes que pretendían ser la misma persona, pero dos de los cuales eran impostores. Un panel de celebridades hacía preguntas a los tres concursantes y luego emitían su voto a favor de quien creían que era la persona "real" y auténtica.

Después de la votación, el moderador decía: "Que se ponga de pie (y aquí se insertaba el nombre del concursante verdadero), por favor ".

Hoy, bien podríamos preguntar: ¿Podría ponerse de pie la verdadera iglesia?

Para hallar la respuesta a esta pregunta tenemos que hacer una investigación de las creencias de las 10,000 religiones del mundo, incluyendo a los 33,830 grupos cristianos. Gracias a Dios, no tenemos que hacer eso. ¿Quién tiene tiempo para hacer tal cosa? Además, el proceso nos llevaría a una absoluta confusión.

He aquí una sugerencia. En vez de estudiar cada religión de este mundo para descubrir cuál de ellas enseña la verdad, vayamos mejor a la Biblia y descubramos allí los distintivos o características que se proveen, para identificar a la verdadera iglesia de Dios.

En vez de investigar los errores, simplemente

estudiemos el material correcto y genuino.

En la página de Internet del Servicio Secreto de los Estados Unidos, puede hallar una sección titulada: "Cómo detectar el dinero falso", y dice: Fíjese en la clase de billetes que recibe. Compare un billete sospechoso con uno genuino de la misma denominación y serie... descubra las diferencias, no tanto las similitudes.

Y, obviamente, para no pasar por alto este anuncio, usted debe tener un billete genuino con el cual comparar los otros. Debe conocer el billete verdadero por ambos lados, por lo ancho y lo largo.

Un buen agente del servicio secreto en la división para descubrir lo espurio o falso pasa la mayor parte de su tiempo escudriñando el material genuino y no el falso. Una vez que se logra esto, detectar lo falso es la parte más fácil.
En las páginas que siguen, hallaremos lo que la Biblia tiene que decir acerca de lo genuino y lo falso, a cerca de la verdad versus la mentira.

Pero, como cada historia tiene un comienzo, ¿qué tal si comenzamos aquí la nuestra?

CAPÍTULO 1

HABÍA UNA VEZ

Cuando usted escucha o lee la frase "Había una vez ", ya sabe que se va a relatar una historia.

Cuando la película titulada "La Guerra de las Galaxias" apareció por primera vez en 1977, comenzaba con la frase: "Hace mucho tiempo …. en una galaxia muy lejos de aquí" … los espectadores sabían que la trama de una historia comenzaba. Y, en efecto, ahí estaba la historia que mi padre me contó.

El mismo año que "La guerra de las galaxias" se proyectó en la pantalla grande, "Raíces" –una miniserie escrita por el autor Alex Haley, referente a sus ancestros africanos– llegó a la televisión. Durante varias semanas una masiva audiencia televisiva observó el cautivante drama. De pronto, incontables americanos empezaron a indagar sus raíces, y se dieron a la tarea de investigar sus orígenes. Entre ellos estaban mis propios padres.

A su debido tiempo, mi padre quiso compartir conmigo lo que había encontrado en su apasionante estudio. Fue así como un fin de semana por la tarde fui a su casa y, sentado en una silla, me preparé para escucharlo decir: "Nuestros ancestros vivieron en Escocia".

Pero no.

"Noé tuvo tres hijos", comenzó a decir.

Yo ya sabía que una historia estaba iniciándose. Me di cuenta que esa tarde sería larga.

Ahora, no permita que yo despierte en usted un estado de alarma, puesto que este libro no será extenso. Sin embargo, tengo una historia que deseo relatarle. Y la historia que tengo que contarle comenzó mucho antes del tiempo de Noé. De hecho, comienza más o menos como empezaba la "Guerra de las Galaxias": "Hace mucho tiempo, en un lugar muy lejos de aquí ", en un lugar llamado Cielo…

Sí, la historia que quiero compartir con usted, amable lector, usando las palabras del libro de Fulton Oursler que escribió en 1949 acerca de la vida de Cristo, es "la más grande historia jamás contada".

La más grande historia jamás contada es la historia de la Verdad y de la Mentira.

Es la historia del Amor y el Egoísmo.

Es la historia de la Luz y de las Tinieblas.

Es la historia del Bien y el Mal.

Es la historia de Miguel (Jesús) y Lucifer (Satanás).

Es la historia de Cristo y sus seguidores y del diablo y sus seguidores.

Y el tema central de este libro es la historia de los verdaderos seguidores de Cristo, en la cual trazamos su origen sobre la tierra desde antes de la caída de los seres humanos, hasta la futura restauración de este mundo.

Dios siempre ha tenido a sus fieles seguidores: los leales a su verdad y comprometidos a hacer su voluntad.

Dios siempre ha tenido a los que llanamente dicen la

verdad acerca de él.

Dios siempre ha tenido un pueblo sobre la tierra: los pocos fieles; los llamados, los escogidos; defensores y paladines de su verdad.

Y Dios todavía tiene un pueblo. Precisamente, observaremos muy de cerca a este pueblo en los últimos capítulos de este libro.

Sin más preámbulo, entonces, comencemos por el principio.

Transportémonos juntos a un tiempo difícil de imaginar, un tiempo cuando no había pecado, ni dificultades, ni maldad. Los primeros capítulos de la Biblia nos llevan al remoto pasado : a ese lugar lejano, muy lejos de aquí. El lugar que nosotros llamamos Cielo.

Allí es donde Dios tiene su trono. Desde allí él vigila el vasto universo que ha creado. Incontables huestes de ángeles –refulgentes, inteligentes, seres sin pecado que él también creó– disfrutan del gozo y el amor de su presencia. Pero, cuando Dios creó a los ángeles, también corrió un riesgo. Como puede ver el lector, Dios quería que sus criaturas le amaran libremente, porque así lo eligieran, no porque tuvieran que hacerlo.

Así, pues, Dios creó a cada ángel, con el don del libre albedrío. No los creó como si fueran unas computadoras programadas para amarle. Eran libres para amar y obedecer a su Creador. Pero esa misma libertad de escoger, significaba que también eran libres para rebelarse contra él. Ese fue el riesgo que Dios tomó. A cada ángel se le asignó tareas en particular, éstas las harían reflejando el amor de Dios y respetando su orden perfecto. El más encumbrado de todos era uno llamado Lucifer, o "portador de luz". Lucifer era el querubín cubridor, quien estaba en la misma presencia de Dios.

"Tú, querubín grande, protector", dice Dios de Lucifer en Ezequiel 28:14, "yo te puse en el santo monte de Dios, allí estuviste; en medio de las piedras de fuego te paseabas". Y en el versículo 12 dice: "…Tú eras el sello, la perfección, lleno de sabiduría, y acabado en hermosura".

En una atmósfera de perfecta paz y sin pecado, los años de la eternidad pasaron uno tras otro. ¿Cuánto tiempo vivió Lucifer en el cielo después de su creación? La Biblia no lo menciona. Quizás miles de años; quizás millones.

Pero el tiempo pasó. Parece que Lucifer poco a poco enfocó su atención en su propia belleza y sabiduría. Y, aparentemente, sintió que debería ser ascendido a una posición más elevada en las cortes celestiales.

Únicamente otros dos seres en el Cielo eran iguales a Dios: Jesucristo el Hijo, y el Espíritu Santo. Conociendo Lucifer el carácter de Dios, su rectitud e integridad, él concluía que Dios muy pronto reconocería su desarrollo personal, sus calificaciones y logros, por lo tanto lo promovería a una posición igual a la del Hijo de Dios y del Espíritu Santo.

Orgullo… luego la caída.

Leamos Ezequiel 28: 17: "Se enalteció tu corazón a causa

de tu hermosura; corrompiste tu sabiduría a causa de tu
resplandor".

"Corrompiste tu sabiduría". En otras palabras, Lucifer
no estaba pensando juiciosamente. Su mente se distorsionó
por una falsa imagen de sí mismo que él creo y que escogió
creer. Por causa de su sabiduría, posición y belleza, Lucifer,
poco a poco, llegó a considerarse a sí mismo mucho más
importante en el esquema del Cielo que lo que realmente era.
Se enorgulleció, se tornó ególatra.

El orgullo –un sentido exagerado de importancia
personal– primero nos eleva, para después dejarnos caer. Y
así, con el tiempo, Lucifer cayó. Después de su caída, Dios le
dijo: "Perfecto eras desde el día que fuiste creado hasta que
se halló en ti maldad" (Eze.28:15).

Y en Isaías 14:12–14 Dios añade estas palabras:

"¡Cómo caíste del Cielo, oh! Lucero, hijo de la mañana! . .
. Tú que decías en tu corazón: 'Subiré al Cielo; en lo alto,
junto a las estrellas de Dios, levantaré mi trono, y en el
monte del testimonio me sentaré, a los lados del norte;
sobre las alturas de las nubes subiré, y seré semejante al
Altísimo".

La promoción de Lucifer jamás llegó. Si hubiera pensado
con claridad, nunca debería haber perdido de vista el hecho
de que Dios era su creador, y que él, Lucifer, sólo era la
criatura. Así esperó con frustración creciente, en anticipación
de algo que nunca debería haber anhelado.

Como el tiempo transcurría y no había ninguna señal de que Dios estuviera pensando elevar la poción de Lucifer, el príncipe de los ángeles empezó a sentirse intrigado. Luego, se desilusionó y, finalmente, se puso celoso y furioso.

A esta altura, Lucifer podía llegar a las siguientes conclusiones: o el problema residía en Dios, o estaba en él mismo. Y, puesto que el problema no era posible que residiera en él, Lucifer concluyó que el problema residía en Dios.

A pesar de todas las aparentes evidencias de lo contrario, Lucifer concluyó que Dios no era equitativo, que no era justo ni auténtico. Le parecía obvio que al conceder Dios honores, autoridad y privilegios especiales a Jesús, no estaba jugando limpio. Dios, sencillamente, no debe ser como se representa a sí mismo ante el universo. Así, el querubín cubridor llegó a creer sinceramente sus falsas ideas acerca del carácter de Dios… aceptándolas plenamente como verdad.

Por un largo y extenso período, Lucifer trabajó para convencer a los ángeles bajo su mando que la imagen que ellos tenían del carácter de Dios no era tan exacta: que en efecto, Dios no era imparcial. Que Dios era mentiroso e injusto. Finalmente, las semillas de insatisfacción que Lucifer sembró crecieron hasta convertirse en una rebelión de grandes dimensiones. La Biblia la describe en Apocalipsis 12:7-9 en estos términos:

"Después hubo una gran batalla en el cielo: Miguel y sus ángeles luchaban contra el dragón; y luchaban el dragón

y sus ángeles. Pero no prevalecieron, ni se halló ya lugar
para ellos en el cielo. Y fue lanzado fuera el gran dragón,
la serpiente antigua, que se llama diablo y Satanás, el cual
engaña al mundo entero; fue arrojado a la tierra, y sus
ángeles fueron arrojados con él".

En el mismo capítulo, los versículos 3 y 4 dicen que una
tercera parte de los ángeles fueron convencidos por Lucifer y
creyeron sus mentiras.

El gran conflicto entre Cristo y Lucifer –llamado ahora
diablo– comenzó. La guerra de todas las guerras … se
libraría ahora en la tierra.

Pero, ¿cómo es que tú y yo estamos involucrados en este
gran conflicto entre Dios y su gobierno de amor, y Satanás
y su rebelión egoísta? ¿Cómo es que este gran conflicto se
desplazó del ámbito celestial hacia los seres humanos?

Expulsados del Cielo, Satanás y sus seguidores, se
aprestaron a ubicar la sede de su nuevo gobierno en el
pequeño planeta llamado Tierra y juraron eterno odio y
destrucción total a su propio Creador.

El primer libro de la Biblia, el Génesis, nos informa que
Dios se propuso crear sobre esta tierra un diferente orden de
seres. No tan poderosos como los ángeles, pero los crearía
a su imagen y semejanza. El sexto día de la creación, de
acuerdo con Génesis 1:26,27, dijo Dios: "Hagamos al hombre
a nuestra imagen, conforme a nuestra semejanza . . . Y creó
al hombre a su imagen, a imagen de Dios lo creó; varón y
hembra los creó".

Dios creó a los primeros seres humanos –Adán y Eva–
con la misma libertad para escoger, que otorgó a los ángeles.
Así, también, creó un hermoso jardín llamado Edén para que
fuera el hogar de nuestros primeros padres. Dios no permitió
a Satanás que tuviera libre acceso al hombre y a la mujer
que él había creado, sino únicamente mediante un árbol que
estaba en el mismo centro del Edén. Dios advirtió al hombre
y a la mujer que se mantuvieran lejos del árbol prohibido,
ordenándoles que nunca comieran de su fruto, ni que aun lo
tocaran.

La tragedia

Entonces, un día, sobrevino la tragedia que habría de
cambiar la faz de la tierra y la historia de la humanidad para
siempre. A continuación, bosquejamos esta triste historia.

Eva no planeó alejarse de su esposo Adán. Pero, de algún
modo, un día se halló sola contemplando el árbol del cual
Dios le había advertido que no se acercara a él, ni lo tocara.

Las advertencias sonaron en su mente: "De todos los
árboles del huerto podéis comer, pero del árbol que está
en medio del huerto no comeréis ni le tocaréis porque no
muráis".

Pero deteniéndose frente al árbol, Satanás usó a una
serpiente para lograr sus malévolos propósitos. Y mediante
el embrujo y el engaño, cuestionando los motivos y las
advertencias de Dios de que Adán y Eva se mantuvieran
lejos del árbol, Satanás sedujo a Eva para que tomara del
fruto del árbol y comiera.

Antes que ese día terminara, Eva compartió el fruto del árbol con su esposo.

Más tarde, ese mismo día mientras Satanás y sus ángeles celebraban su gran victoria, Adán y Eva oyeron la voz de Dios que los llamaba en el jardín del Edén.

Normalmente, cuando él los llamaba ellos rápidamente corrían a su encuentro. Pero, aquella tarde, dice la Biblia en Génesis 3: 8, que Adán y Eva "se escondieron de la presencia de Dios entre los árboles del huerto".

"¿Dónde estás tú?", llamó Dios a Adán.

"Oí tu voz en el huerto y tuve miedo", respondió Adán, finalmente.

¿Adán le tiene miedo a Dios?

La mayoría de los seres humanos hoy, tenemos todavía una forma de ir a Dios, si es que nos vamos a sentir bien con él nuevamente. Desde aquel trágico día en el Edén, nosotros sus criaturas a menudo no nos hemos sentido bien a su lado. Le tenemos miedo. De algún modo, el pecado es así. El pecado produce una ruptura en nuestra relación con nuestro Hacedor, la cual hace que le veamos no como realmente es, sino en una forma totalmente distorsionada.

No sé qué imagen de Dios tiene el lector en este mismo momento. Pero sé que si le tiene miedo a Dios, o está enojado con él, o se siente mal a su lado, es porque el pecado ha hecho una separación y no podemos verle como realmente es.

Separados de Dios, comenzamos a imaginarnos toda clase de cosas respecto a él, pero menos la verdad.

Comenzamos a culparle por el dolor que el pecado nos produce. Comenzamos a verle como un ser cruel, distante de nosotros; lo vemos como un juez inflexible o un Padre duro, cuando no como nuestro enemigo.

Al crearnos esta falsa imagen de Dios, el diablo se alegra, y fija en nuestra mente esa idea distorsionada, puesto que él está ocupado en enlodar y tergiversar el carácter de Dios, mostrándolo como el peor de los villanos. Satanás está enteramente ocupado en hacer que Dios sea visto como un ser malo al inventar mentiras acerca de él. Así, cuando las dificultades invaden nuestras vidas –las tragedias, el dolor, la enfermedad y la tristeza –, inmediatamente nos presiona para que le echemos la culpa de todo esto a Dios.

Pero sabemos que la imagen que nos presenta Satanás acerca de Dios es completamente falsa. Lejos de ser malo o nuestro enemigo, Dios es nuestro Salvador y el más grande amigo.

La prueba suprema del amor de Dios por la raza humana está en el breve registro, justo unos versículos después de la triste historia de la caída de nuestros primeros padres. En Génesis 3:15 Dios le habla a Satanás y le dice: "Enemistad pondré entre ti y la mujer, y entre tu simiente y la simiente suya; ésta te herirá en la cabeza, y tú le herirás en el calcañar".

Ésta es la primera promesa que registra la Biblia de que Dios, de alguna manera, iba a salvar a los seres humanos de la condenación. Él abriría un camino de tal modo que Alguien cargara con el castigo por sus pecados.

Dios produciría una enemistad entre Eva y Satanás, entre la simiente o seguidores de éste y la simiente de la mujer. Y de la simiente de Eva –sus descendientes– se levantaría uno para aplastarle la cabeza, mientras que él sólo heriría al descendiente (Jesucristo) de Eva en el calcañar. La sugerencia aquí es la de una herida mortal en la cabeza, en contraste con una herida leve en el calcañar.

La simiente que le aplastaría la cabeza a Satanás fue Jesús, el Hijo de Dios. Llegaría el día cuando el prometido Redentor tomaría sobre sí los pecados de cada persona que alguna vez haya vivido; él cargaría con la rebelión, la desobediencia, y el orgullo de una raza que se había apartado de él. Y en una cruz de ignominia y vergüenza llevaría sobre sí la pena de muerte que merece el pecador. Cristo derramaría su sangre y ofrecería su vida para salvar al hombre de la destrucción.

Salvaría a sus descendientes.

Le salvaría a usted, amable lector.

Me salvaría a mí.

La guerra contra Dios la desató un ángel lleno de orgullo allá en el Cielo. Luego, en la tierra, los seres humanos también se rebelaron y siguieron su propio camino. ¡Pero hay buenas noticias! Un día, muy pronto, esta guerra cósmica terminará para siempre.

Pero, mientras esto sucede y el conflicto llega a su fin, Dios ha tenido y tendrá un pueblo que se pondrá decididamente de su lado en este conflicto. Ellos son leales a su verdad y creen en su carácter perfecto.

La historia de este gran conflicto es la historia de esos fieles seguidores de Dios.

¿Quiénes fueron estos primeros fieles?

¿Quiénes han sido y dónde estuvieron a través de la historia?

¿Dónde se hallan hoy?

Las respuestas a estas preguntas no son, de ninguna manera, un secreto.

> *Dios ha tenido siempre un pueblo fiel y leal —los llamados, los escogidos—, y todavía tiene un pueblo especial hoy.*

CAPÍTULO 2

ESCOGIENDO DE QUÉ LADO ESTAR EN LA GUERRA DE LAS GUERRAS

Digamos que usted es escritor. Ha sido esclavo por largos meses —y aun años— del manuscrito de su libro. Sueña con producir un best seller; y, por fin, lo envía a un reconocido editor.

Cuando el manuscrito llega al escritorio del editor designado, éste empieza a hojearlo para ver si ha incluido el tema principal.

Sí, el meollo del asunto.

El editor observa que usted ha incluido buenos diálogos, personajes interesantes, descripciones coloridas, y ha creado un argumento o trama vendible. Pero no tarda en descubrir que al manuscrito le falta el elemento principal. Lamentablemente, su material será rechazado. ¿Qué no incluyó?

Conflicto.

Si una historia no tiene eso que se llama "conflicto", nace muerta. El conflicto o confrontación puede tomar muchas formas en un drama. Por ejemplo, el muchacho bueno y el muchacho malo; el país bueno y el país malo. El héroe y algo natural como [una tormenta o un animal salvaje o fiero]. O aun la historia de alguien que pelea una batalla en su interior (un mal hábito, la tentación de hacer algo ilegal, etc.).

Conflicto es el único elemento de una historia que no puede faltar; es esencial. ¿Por qué? Porque el solo hecho de vivir aquí en la tierra significa afrontar luchas y conflictos. Es una realidad fundamental de la vida en este planeta. De hecho, usted no puede vivir un solo día sin ir al encuentro de un conflicto.

- Éste podría tener la forma de dos alumnos que pelean en la escuela.
- Puede ser el esposo y la esposa que discuten… y se hieren mutuamente con palabras mordaces.
- Podrían ser dos contendientes por el cinturón de la victoria en un cuadrilátero: uno tratando de eliminar al otro con un solo golpe.
- Podrían ser los gritos en un programa televisivo de dos expertos en política que generan más calor que luz.
- O es, a menudo, como cuando se da cuenta que en su interior se libra una batalla entre su lado amable y el lado rudo.

Pero Dios es un Dios de paz, no de conflicto. Él creó un mundo de paz perfecta, una condición de total armonía entre la gente. En el principio, aun los animales vivían pacíficamente los unos con los otros. Por eso la ausencia de conflicto es el ideal de Dios. Y la Biblia lo hace muy claro cuando dice que vendrá un tiempo, y muy pronto, cuando otra vez esta tierra será un lugar de absoluta paz.

El conflicto es un intruso, una aberración, una distorsión de la normalidad.

El conflicto es el primer fruto del pecado, cuyo común denominador es el egoísmo. El pecado nunca existió hasta que Lucifer decidió colocarse por encima de su Creador.

"¡Cómo caíste del cielo, oh Lucero, hijo de la mañana!. . . Tú que decías en tu corazón:

' Subiré al Cielo.

' Junto a las estrellas de Dios ensalzaré mi solio.

' En el Santo Monte me sentaré a los lados del Aquilón.

'Sobre las alturas de las nubes subiré.

' Y seré semejante al altísimo'".

En Lucifer se desarrolló el amor al "YO", y siempre que el "yo" es primero, el conflicto se hace presente. En adelante la vida gira alrededor de mí. El yo es exaltado, protegido, nutrido y defendido, y responde irreflexivamente ante cualquier cosa que le quiera arrebatar su posición. Y si es amenazado, el yo saca las garras.

Así, la Biblia dice que hubo guerra en el Cielo.

La gran controversia entre Lucifer y su Creador había comenzado. Y esta terrible contienda que ha durado seis mil años, es la guerra de todas las guerras.

Imagine que usted es conducido con los ojos vendados hacia una sala de arte privada de un millonario, y lo colocan a unos centímetros de una de sus paredes. Entonces le quitan la venda de sus ojos, y le piden que describa lo que ve. Usted responde que sólo ve colores: un poco de amarillo y un manchón oscuro. Luego se aleja unos pocos centímetros. Ahora ve una figura formada por los colores. Finalmente, se aleja un poco más de la pintura. Ahora descubre que lo que veía era una edición limitada de la Mona Lisa o Gioconda, pintada por Leonardo Da Vinci. La original, por supuesto, está en el Museo del Louvre en París, Francia.

Por cierto, ayuda mucho ver el cuadro completo.

Y el Gran Conflicto entre Cristo y Lucifer (ahora Satanás) es el cuadro completo. Cada conflicto, cada guerra, cada pleito en esta tierra es sólo una pequeña parte —una pizca– del cuadro completo. Es sólo una escaramuza de la gran guerra que está detrás de todas las guerras.

No olvide, por lo tanto, que el conflicto tiene lugar cuando el "YO" es colocado por encima de todo.

Si "yo" estoy en lo correcto, entonces tú estás equivocado.

Si "yo" soy amenazado, entonces me protegeré de inmediato.

Si "yo" quiero algo, entonces lo obtendré, aun tomándolo por la fuerza si es necesario.

Antes que el pecado (egoísmo) contaminara el universo no existía el conflicto. Cuando Dios erradique el pecado para siempre, y recree este planeta, el conflicto no será más. Su presencia aquí es sólo temporal.

Antes que el pecado existiera, no hubo "bandos"; eso de que esto es "mío", lo otro es "tuyo". Antes del pecado, todos los seres creados adoraban y obedecían a Dios. Después del pecado, algunos le dieron la espalda. Asi, por 6000 años o más, han existido esos dos polos o bandos: el bando de Dios y el bando de Satanás.

Pero nótese que no hay un tercer bando. Hay sólo dos. Y a cada momento, cada día, todos tenemos que escoger a cuál de ellos pertenecer:

La vida o la muerte.

El bien o el mal.

La luz o las tinieblas.

La verdad o la mentira.

La confianza o la duda.

Lo positivo o lo negativo.

Cristo o Satanás.

Pero alguien podría decir: "En esta batalla cósmica, con principios tan opuestos, yo decido no pertenecer a ningún bando, soy neutral. Soy leal a mí mismo. Que Cristo y Satanás peleen si quieren… yo no me involucro".

Seamos bien claros: nadie en el universo puede permanecer neutral. Nadie puede estar al margen. ¿Por qué? Porque si usted no escoge voluntariamente estar al lado derecho, automáticamente, y por lógica, su lugar es el lado izquierdo. No colocarse del lado de Cristo en este conflicto, es ubicarse del lado de Satanás.

La historia del Gran Conflicto entre Cristo y Satanás, que es la base de este libro, presenta a dos bandos en conflicto. Por lo mismo, es la historia de la humanidad desde Adán y Eva, hasta usted y yo, y cada uno de los que hemos vivido y vivimos hoy… y viviremos, y que habremos decidido de qué lado del conflicto estaremos.

¿Estamos del lado de Cristo o de Satanás?

¿Somos leales a la verdad o a la mentira?

¿Somos motivados por el amor o por el egoísmo?

Eso es todo; es tan simple y tan real.

Algunos que se enorgullecen de sus logros intelectuales podrían argüir diciendo que eso se parece mucho a "pensar en blanco y negro". Podrían insistir en que cuando llegamos al terreno de lo que es correcto o incorrecto, lo que es verdad o erróneo, allí hay muchas zonas grises; que no hay absolutos.

Pero, como dice la Biblia, usted no puede servir a dos señores. Debe escoger a quien servir: a Cristo o a Satanás. "Escogeos hoy a quien sirváis" (Jos. 24:15.)

No hay tal cosa como la verdad libre de compromiso. Nada hay como el amor en el cual no hay egoísmo. No podemos ser totalmente fieles y leales a Dios, si estamos jugando en ambos lados de la cerca.

Zonas grises

Mezcle una pequeña cantidad de pintura negra y otra mayor de pintura blanca, lo que obtendrá, será una mezcla de color gris. Pero entre más pintura negra le añada, lo gris se irá tornando más oscuro.

Dios no creó zonas grises. Su verdad no admite errores. Su amor no tolera el egoísmo. En su luz no hay oscuridad. "Dios es luz, y no hay ningunas tinieblas en él" (1 Juan 1:5).

No hay término medio en esta gran controversia. No existen zonas grises entre el bien y el mal, entre la verdad y el error.

El estar con un pie de este lado de la raya y con el otro de aquél, puede parecer posible, pero no lo es. El aceite y el agua no se mezclan. Aquí el compromiso es lo que cuenta.

El pensamiento central de este libro es que Dios siempre ha tenido un pueblo leal a él y a su verdad. A través de la historia, ha habido quienes han escogido estar firmes de su lado en este gran conflicto, y éstos han sido siempre una minoría; en la mayoría de los casos, esa minoría ha sido muy pequeña.

Jesús cierta vez dijo: "Entrad por la puerta estrecha; porque ancha es la puerta, y espacioso el camino que lleva a la perdición, y muchos son los que entran por ella; porque estrecha es la puerta, y angosto el camino que lleva a la vida, y pocos son los que la hallan"(Mat. 7: 13,14, el énfasis es nuestro).

Dijimos que Dios creó a sus seres celestiales con libertad para escoger, para que eligieran servirle si ellos querrían hacerlo, y no porque tuvieran que hacerlo. También sabemos que Lucifer usó su libre albedrío y decidió ocupar el lugar de Dios, hecho que condujo a una guerra en el Cielo, y como consecuencia se produjo la expulsión de Satanás, con los ángeles que había engañado, del ámbito celestial. Ya sabe que Dios creó un mundo perfecto, y puso en él a dos seres igualmente perfectos, a quienes dio completa libertad de escoger y decidir. Trágicamente, ellos también hicieron una elección equivocada, la cual abrió las compuertas al pecado en nuestro planeta.

Cuando las primeras hojas se marchitaron

Cuando vieron en la caída de las flores y las hojas los primeros signos de la decadencia, Adán y su compañera se apenaron más profundamente de lo que hoy se apenan los hombres que lloran a sus muertos (Patriarcas y profetas, p. 46). Se contorsionaron en abyecta miseria, y repentinamente se dieron cuenta de lo que habían perdido. El remordimiento los consumía y entraron en una horrible desesperación. Una decisión egoísta, y ahora morirían y serían como si jamás hubiesen existido.

Dios podría haberlos destruido inmediatamente. Es más, algunos arguyen esto es que lo debería haber hecho. Después de todo, él tenía derecho de dejarlos que cosecharan lo que habían sembrado. Pero Dios, en su infinito amor, escogió otro camino. Él se adelantaría y se pondría en su lugar para cargar con las consecuencias de una mala elección. Les daría a los seres humanos –a cada uno de ellos– una segunda oportunidad para poder elegir de nuevo.

En una asombrosa muestra de compasión, Dios dio a conocer su plan a Adán y Eva para salvarlos. Les advirtió que no quedarían ilesos de muchos de los resultados de su elección egoísta, pero que los salvaría de la consecuencia atroz –la muerte eterna– a un costo infinito para él. Dios le daría a la criatura humana una oportunidad más para escoger. Y a cada uno de sus descendientes, mientras el pecado existiera, se les daría la misma oportunidad. La oportunidad de escoger de qué lado del conflicto quisieran ubicarse. Tendrían que escoger entre el amor y el egoismo;

entre la verdad y la mentira; entre Cristo y Satanás.

Afortunadamente, Adán y Eva aprovecharon su segunda oportunidad sabiamente. Si bien eran seres imperfectos, deteriorados, diariamente escogieron colocarse firmemente del lado de Dios.

También sabemos que sus descendientes tuvieron que escoger de qué lado ubicarse. Abel, el hijo menor de Adán y Eva, tal como Dios les había instruido, trajo al altar como sacrificio un cordero, el cual representaba al Cordero de Dios que un día pagaría con su vida el precio final por el pecado. Por su parte, Caín su hermano, trajo al altar los frutos de su trabajo, mostrando con esto que él confiaba más en sus propios esfuerzos humanos que en la gratuita salvación de Dios. Cuando Dios aceptó la ofrenda de Abel, y rechazó la de Caín, éste se enojo, y cometió el primer homicidio de la historia. Caín mató fríamente a su hermano Abel.

Note, ahora, este importante comentario sobre tan terrible suceso, y lo que significa para los que vivimos aquí después del año 2000 d. C.

"Caín y Abel representan a dos clases de personas que existirán en el mundo hasta el fin del tiempo. Una clase se acoge al sacrificio indicado; la otra se aventura a depender de sus propios méritos; el sacrificio de éstos no posee la virtud de la divina intervención y, por lo tanto, no puede llevar al hombre al favor de Dios. Sólo por los méritos de Jesús son perdonadas nuestras transgresiones. Los que creen que no necesitan la sangre de Cristo, y que pueden obtener el favor de Dios por sus propias obras sin que medie la divina gracia, están cometiendo el mismo error que Caín. Si no aceptan la sangre purificadora, están bajo condenación. No hay otro medio por el cual puedan ser librados del dominio del pecado.

"La clase de adoradores que siguen el ejemplo de Caín abarca la mayor parte del mundo; pues casi todas las religiones falsas se basan en el mismo principio, a saber, que el hombre puede depender de sus propios méritos para salvarse. Algunos afirman que la humanidad no necesita redención, sino desarrollo, y que ella puede refinarse, elevarse y regenerarse por sí misma. Como Caín pensó lograr el favor divino mediante una ofrenda que carecía de la sangre del sacrificio, así obran los que esperan elevar a la humanidad a la altura del ideal divino sin valerse del sacrificio expiatorio. La historia de Caín demuestra cuál será el hombre sin Cristo. La humanidad no tiene poder para regenerarse a sí misma. No tiende a subir hacia lo divino, sino a descender hacia lo satánico. Cristo es nuestra única esperanza. En ningún otro hay salud; 'porque no hay otro nombre debajo del cielo dado a los hombres, en que podamos ser salvos'" (Hech. 4:12; *Patriarcas y profetas*, pp. 60,61).

En resumen, desde el principio ha habido sólo dos bandos o lados: el lado de Abel y de sus padres, y el lado que escogió Caín. El lado de Cristo y el lado de Satanás. El lado de la fe y el lado de las obras humanas. El lado de los obedientes y el lado de los desobedientes. El lado de la lealtad a Dios y el lado del yo (por extensión, del gran enemigo de Dios). El lado de la verdad de Dios y el lado de las mentiras de Satanás.

Pronto, esos dos bandos o lados se identificarán o con Cristo o con el diablo. Y a cada ser humano que haya vivido o que vive se le da la oportunidad de escoger de qué lado estar.

Adán y Eva tuvieron que escoger.

Caín y Abel hicieron lo mismo.

Todos los que han vivido en tiempos pasados escogieron.

Y hoy, cada persona sobre la tierra, sin excepción, tiene que hacer la misma elección.

¿Cuál lado escogerá usted?

---

*Dios ha tenido siempre un pueblo fiel y leal
–los llamados, los escogidos–, y todavía tiene un
pueblo especial hoy.*

CAPÍTULO 3

UNA CADENA INQUEBRANTABLE DE LEALTAD

D ios está siendo derrotado en este gran conflicto? Lucifer –una vez el ángel más encumbrado del Cielo, y después transformado por su propio egoísmo en Satanás, el diablo– tal vez podría creer que de algún modo pareciera que está ganando la batalla que él mismo empezó. No sólo arrastró con él a la tercera parte de los ángeles, sino que desde el mismo principio ha colocado de su lado a la gran mayoría de los seres humanos.

Satanás escogió. Adán y Eva escogieron. Caín y Abel también lo hicieron. Desde el principio, a cada persona que haya jamás nacido en el mundo se le ha dado la misma oportunidad de escoger. Y, hoy nosotros, los que vivimos en el siglo XXI, los 6,500 millones de seres humanos estamos eligiendo cada día o a Dios o a su enemigo.

Pero los verdaderos y leales seguidores de Dios siempre han sido –y serán hasta el fin– una minoría. Los fieles siempre han sido pocos. Son los que escogen la senda estrecha y ascendente, son los que están de parte de Dios, no importa el precio que tengan que pagar.

La historia que se relata en este libro es la cadena inquebrantable de verdaderos seguidores de Dios, desde Adán y Eva, hasta el último ser humano que nazca en este planeta.

Vayamos hasta los orígenes, y comencemos a trazar la historia de los que se han colocado de parte de Dios, aun cuando la mayoría se ponga del lado de su archienemigo.

Después de la muerte de Abel, Dios le concedió a Adán y a Eva otro hijo llamado Set. Éste escogería el camino de la lealtad a Dios tal como lo había hecho Abel : el hermano que nunca conoció. Los descendientes de Set, por varias generaciones, siguieron sus pasos, eligiendo al Dios que una vez había caminado en persona con su antepasado Adán. Y como Adán vivió cerca de mil años, hubo tiempo suficiente para relatar en forma personal la historia de su trágica elección, y para prevenir a muchos de sus descendientes respecto a las terribles consecuencias que esa decisión produjo.

Mientras tanto, Caín y sus descendientes escogieron su propio territorio donde vivir, y generación tras generación, continuaron en rebelión contra Dios.

Con el correr del tiempo, los descendientes de Caín y Abel comenzaron a contraer matrimonio y a mezclarse entre ellos. No pasó mucho tiempo hasta que los descendientes de Set abandonaran su lealtad a Dios y decidieran rebelarse y adoptar una postura soberbia como la creciente familia de Caín. Pronto la mayoría de los seres humanos se enlistaron en el bando del enemigo de Dios. Pero, "a pesar de que la iniquidad prevalecía, había un número de hombres santos, ennoblecidos y elevados por la comunión con Dios, que vivían en compañerismo con el cielo" (*Patriarcas y profetas*, p. 71).

Este pequeño grupo de fieles constituían una estirpe de hombres santos, que comenzó con Adán y Eva, y continuó inquebrantable a través de los siglos, por 6,000 años.

Ciertamente era una estirpe que todavía puede encontrarse hoy.

De ese linaje procedía Enoc que, según habla la Biblia, era uno de los primeros hombres santos y que perteneció a la séptima generación después de Adán. Rodeado por la población siempre creciente del mundo, y cuya mayoría desafiaba abiertamente a Dios y ridiculizaba su verdad, aun así Enoc "caminó con Dios". Mientras que la impía mayoría del mundo de ese entonces no tomaba en cuenta a Dios, Enoc se mantuvo fiel, y reconoció a su Dios como el único Soberano de su vida.

Pero Enoc no rehusó relacionarse con los que habían escogido estar en contra de Dios. No se enclaustró en un remoto retiro para meditar y orar las 24 horas de los siete días de la semana, a fin de llegar a ser "santo". No, jamás. En lugar de eso, nos dejó un ejemplo –a los que estamos hoy inmersos en un mundo siempre creciente y lejos de Dios– de cómo vivir en el mundo y, sin embargo, no ser del mundo. "El andar de Enoc con Dios no era un arrobamiento en visión, sino su comunión con Dios mientras andaba en el cumplimiento de sus deberes de la vida diaria. No se aisló de la gente convirtiéndose en ermitaño, pues tenía una obra que hacer para el mundo" (*Patriarcas y profetas*, p. 72).

Por trescientos años, Enoc buscó a Dios con toda la pasión e integridad de su alma. Llegó a conocerlo íntimamente. Luego, sucedió lo inaudito.

El desaparecido

"Y caminó, pues, Enoc con Dios, y desapareció, porque le llevó Dios" (Gén. 5:24).

Enoc fue trasladado, transportado de la tierra al Cielo, sin ver la muerte, hasta la misma presencia de Dios.

La ausencia de Enoc sobre la tierra causó profunda tristeza. Pero, mediante este milagro, Dios tenía lecciones importantes que enseñar a sus seguidores aquí en la tierra.

"Mediante la traslación de Enoc, el Señor quiso dar una importante lección. Había peligro de que los hombres cedieran al desaliento, debido a los temibles resultados del pecado de Adán. Muchos estaban dispuestos a exclamar:'

¿De qué nos sirve haber temido al Señor y guardado sus ordenanzas, ya que una terrible maldición pesa sobre la humanidad, y a todos nos espera la muerte?' Pero las instrucciones que Dios dio a Adán, repetidas por Set y practicadas por Enoc, despejaron las tinieblas y la tristeza e infundieron al hombre la esperanza de que, como por Adán vino la muerte, por el Redentor prometido vendría la vida y la inmortalidad. Satanás procuraba inculcar a los hombres la creencia de que no había premio para los justos ni castigo para los impíos, y que era imposible para el hombre obedecer los estatutos divinos. Pero en el caso de Enoc, Dios declara de sí mismo que 'existe y que es remunerador de los que le buscan'(Heb. 11:6). Revela lo que hará en bien de los que guardan sus mandamientos. A los hombres se les demostró que se puede obedecer la ley de Dios; que aun viviendo entre pecadores corruptos, podían, mediante la gracia de Dios, resistir la tentación y llegar a ser puros y santos. Vieron en su ejemplo la bienaventuranza de esa vida; y su traslación fue una evidencia de la veracidad de su profecía acerca del porvenir que traerá un galardón de felicidad, gloria y vida eterna para los obedientes, y de condenación, pesar y muerte para el transgresor" (*Patriarcas y profetas,* p. 76).

Así, pues, ¿qué lecciones prácticas se desprenden de la vida de Enoc y de su traslación?
Considere las siguientes:

- La traslación de Enoc trajo esperanza a los fieles sobre la tierra.
- Probó que los justos tienen una recompensa, así como los impíos tienen también un castigo
- La vida de Enoc mostró que es posible guardar los mandamientos de Dios y resistir la tentación, aun estando rodeados por un mundo de corrupción y rebelión.
- La traslación de Enoc fue un anticipo del galardón final que han de recibir los fieles seguidores de Dios cuando la historia de este mundo acabe.

Estas lecciones no fueron solamente para los amigos de Enoc, quienes tuvieron que vivir después de que él fue trasladado al cielo. Son lecciones para nosotros hoy. Son lecciones para usted y para mí. Escoger estar de parte de Dios trae recompensa ahora y en la eternidad que muy pronto comenzará. La vida de Enoc prueba que es posible obedecer a Dios, sin importar cuán malo se torne el mundo que nos rodea.

Pero, vivir una vida de obediencia y lealtad no es el resultado de nuestra fuerza de voluntad, o de nuestra determinación y coraje. Volvamos a una cláusula del párrafo antes citado en este capítulo:

"A los hombres se les demostró que se puede obedecer la ley de Dios; que aun viviendo entre pecadores corruptos, podían, mediante la gracia de Dios, resistir la tentación y llegar a ser puros y santos" (el énfasis es nuestro).

Perdón y poder

La gracia de Dios es doble. Es perdón para nuestra naturaleza pecaminosa básica –lo que somos–, así como perdón para los pecados cometidos.

Pero, gracia también es poder que nos guarda de pecar; ambos, son necesarios. Y puesto que el virus del pecado –el egoísmo– será una constante aquí en la tierra, y éste no será eliminado hasta la segunda venida de Cristo, siempre necesitaremos esta gracia doble. Y Dios nos otorga la posibilidad de llegar a ser más y más semejantes a él, mientras "crecemos en gracia", esto es, mientras aprendemos cada día a depender más y más de él.

Le sugiero repasar nuevamente la "lista de fieles" que se halla en el capítulo 5 del Génesis. En ella la Biblia da la lista de los leales seguidores de Dios desde Adán hasta Noé. Esta lista revela que antes de que Enoc fuera trasladado al cielo, él tuvo un hijo llamado Matusalén, conocido como el hombre que vivió más tiempo en la tierra, nada menos que 969 años. El hijo de Matusalén –Lamec– fue el padre de Noé.

No es necesario detallar la vida y el ministerio de Noé. Cualquier niño que asista a una escuela cristiana sabe que Noé predicó a un mundo malvado por 120 años, mientras construía el arca. El mundo había llegado a tal degradación que escapa a toda descripción: "Y vio Jehová que la maldad de los hombres era mucha sobre la tierra, que todo designio de los pensamientos del corazón de ellos era de continuo solamente el mal "(Gén. 6:5).

Antes de que la fidelidad desapareciera totalmente de la tierra por causa de la maldad, Dios decidió destruir a los hombres mediante un Diluvio de carácter universal. Los únicos sobrevivientes de este cataclismo fueron los ocho miembros de la familia de Noé que entraron al arca y allí permanecieron sanos y salvos.

La humanidad tendría, entonces, un nuevo comienzo.

Pero aun Noé y su familia no estaban libres del virus del pecado. Así, no tardó mucho en que los descendientes de Noé abandonaran su ejemplo y sus enseñanzas y se rebelaran contra Dios y escogieran seguir sus propios deseos egoístas. Y, una vez más, los seguidores de Satanás se multiplicaron y esparcieron sobre la tierra.

Los rebeldes se declararon enemigos de Dios, y rápidamente se degradaron y desarrollaron violencia, paganismo y las más abominables formas de inmoralidad. Pronto se establecieron en una vasta llanura decididos a construir una gran metrópoli sobre la tierra, representada por una torre tan alta que sería la maravilla del mundo.

Así, la gran torre de Babel comenzó a levantarse hasta las nubes. Satanás –que está detrás de la escena e incita a los hombres y obra a través de ellos para lograr sus propios fines–, oculto y camuflado, debió estar alegre por los progresos logrados en la ciudad de Babel. Mas Dios nunca ha permitido al archienemigo desatar una guerra sin ejercer control sobre cada evento. Antes de que la torre fuese concluida, Dios se dispuso a confundir las lenguas de los constructores. Como resultado, la construcción se detuvo abruptamente.

"Los planes de los constructores de la torre de Babel terminaron en vergüenza y derrota. El monumento de su orgullo sirvió para conmemorar su locura. Pero los hombres siguen hoy el mismo sendero, confiando en sí mismos y rechazando la ley de Dios. Es el principio que Satanás trató de practicar en el cielo, el mismo que siguió Caín al presentar su ofrenda.

"Hay constructores de torres en nuestros días. Los incrédulos formulan sus teorías sobre supuestas deducciones de la ciencia, y rechazan la palabra revelada de Dios. Pretenden juzgar el gobierno moral de Dios; desprecian su ley y se jactan de la suficiencia de la razón humana" (*Patriarcas y profetas*, pp. 115, 116).

Constructores de torres

La torre de la evolución, la torre de la razón humana, la torre de la ciencia que se levanta más alta que la Palabra de Dios, la torre del código moral humanamente inventado y que rechaza la ley de Dios son monumentos frágiles que, al fin, también caerán. El libro de Apocalipsis es enfático: Dios no permitirá que Satanás construya libremente una nueva Babilonia. Sí, una nueva Babilonia se está erigiendo hoy, pero, con toda seguridad, también caerá.

Con el Diluvio, los pocos fieles tuvieron una nueva oportunidad de sobrevivir y desarrollarse. Génesis capítulo 11 retoma la lista, trazándola desde Sem, el hijo de Noé, a través de las generaciones sucesivas hasta llegar a uno de los grandes gigantes de la fe del Antiguo Testamento: Abrán, más tarde llamado Abrahán.

Estamos seguros de que el amable lector conoce bien la historia de Abrahán: la promesa del pacto que Dios le hizo, de que él llegaría a ser el padre de "una gran nación". El llamado de Dios a Abrahán a que abandonara todo y se dispusiera –sin saber adónde iba– a ser guiado por Dios hasta una tierra que el Señor le mostraría. La huida de Lot, sobrino de Abrahán, de Sodoma, una ciudad completamente sumida en el pecado, que junto con su vecina Gomorra, fue consumida por el fuego y, por supuesto, el nacimiento milagroso de Isaac, el hijo de la promesa, siendo Abrahán de cien años de edad y Sara de noventa y nueve, son eventos que, a continuación, ocurrieron.

Isaac, por su parte, tuvo dos hijos gemelos: Esaú y Jacob. Y, nuevamente, estos hijos ejercieron el libre albedrío concedido por Dios, y escogieron cada uno el curso de su vida. Esaú, se rebeló y se ubicó del lado del enemigo de Dios. Jacob —aunque con fallas de carácter, claramente notables en muchos aspectos de su vida– continuaría la cadena de fieles. Después de una larga noche de lucha con el ángel, que era el mismo Dios, a Jacob se le dio un nuevo nombre: Israel.

Los doce hijos de Jacob llegaron a ser los padres de las doce tribus de Israel, quienes conformarían específicamente el pueblo escogido de Dios para preservar, defender, y compartir con el mundo pecador que lo rodeaba la verdad acerca del carácter de Dios.

La visión de Dios, su intención para con Israel era asombrosa. Los escogió para demostrar a las naciones incrédulas que los rodeaban, el poder del amor y la gracia redentora de Dios. Él los escogió para ser los defensores de su verdad, no para acapararla, sino para preservarla y compartirla con las multitudes de paganos que los rodeaban. Dios los escogió para preparar el camino para la venida del Redentor que se levantaría de entre ellos.

La lista de fieles que comenzó con Adán y Set –y que continuó con los patriarcas Enoc, Matusalén, Noé,

Abrahán, Isaac y Jacob–, ahora abarca a una nación entera especialmente escogida por Dios para representarlo sobre la tierra.

¿Cómo se levantarían –cómo se levantaron– para cumplir su destino?

> *Dios ha tenido siempre un pueblo fiel y leal –los llamados, los escogidos–, y todavía tiene un pueblo especial hoy.*

CAPÍTULO 4

ATRAYENDO A LOS REBELDES MEDIANTE EL AMOR

Colocarse uno mismo en lugar de Dios –esto es, presumir que se poseen (o tratar de ejercer) sus poderes y privilegios divinos– es blasfemia.

Pero, otra cosa muy distinta, es ponerse uno mismo en el lugar de Dios en el sentido de tratar de ver las cosas desde su perspectiva. Alberto Einstein una vez dijo que la ciencia es "pensar los pensamientos de Dios como él los piensa". Pero no tenemos que ser científicos para hacer esto.

Así, por un momento, colóquese imaginariamente el lector en lugar de Dios. Usted ha creado un universo perfecto, ha creado ángeles perfectos y seres humanos perfectos. Y los ha creado con libertad para escoger y decidir.

Al concederles el libre albedrío, estará garantizado que ellos le servirán y adorarán porque escogen hacerlo, no porque tienen que hacerlo. Pero, usted bien lo sabe, concederles el libre albedrío conlleva un enorme riesgo. Podrían rebelarse contra usted en el momento menos pensado.

Trágicamente, eso es lo que hacen. Y ahora sobre la

tierra, los seres humanos, pecaminosos, comienzan a multiplicarse. La gran mayoría de ellos está en contra suya. A pesar de su condición pecaminosa, sin embargo, unos pocos fieles escogen adorarle como su Creador.

Los primeros representantes de la fe –que vivían 700, 800, 900 años– finalmente mueren. El mundo llega a ser tan malvado que usted decide destruirlos mediante un gran Diluvio que arrasa con las multitudes rebeldes, y comienza nuevamente con un puñado de fieles seguidores: la familia de Noé.

Pero, al paso del tiempo, la familia humana se multiplica y se esparce sobre la faz de la tierra… y nuevamente, la mayoría de éstos se rebelan contra usted.

¿Cómo conquista nuevamente a los rebeldes?

¿Cómo atrae nuevamente a los impíos, a los malos y paganos?

¿Envía a ángeles que nunca cayeron para que les prediquen? ¿Llama a unos cuantos de sus fieles seguidores de sobre la tierra para amonestar a estos obstinados pecadores… a rogarles, predicarles y a condenar sus pecados?

La idea de Dios

Si el problema por resolver hubiera sido suyo o mío, podríamos muy bien haber escogido una solución como las mencionadas arriba. Pero Dios tuvo una idea diferente.

Él se revelaría a sí mismo. Les demostraría a los rebeldes su carácter amoroso y se atendría al poder de ese amor para atraerlos de nuevo hacia sí.

Pero no lo hizo en persona. Lo hizo mediante sus seguidores leales sobre la tierra.

Mas, cuando el tiempo había llegado, la tarea de rescatar a un mundo incrédulo simplemente era muy grande para unos pocos. Así, Dios le encomendó esta misión no a unos pocos esparcidos aquí y allá, sino a una nación entera… una nación que él escogería y bendeciría con todo género de bendiciones que hubiera de necesitar para revelar el amor de Dios a sus vecinos incrédulos.

Primeramente, Dios reveló su plan a Abrahán, alrededor de 1800 a. C. Rodeado por el paganismo, la idolatría y la apostasía, éste permaneció fiel a Dios.

Cuando Abrahán era de 75 años, Dios le habló y le hizo una maravillosa promesa: "Haré de ti una nación grande; te bendeciré y engrandeceré tu nombre y serás bendición. A los que te bendijeren bendeciré; a los que te maldijeren maldeciré, y en ti serán benditas todas las familias de la tierra" (Gén. 12:2,3).

Además de esta gran promesa, Dios le ordenó a Abrahán: "Sal de tu tierra y de tu parentela, y de la casa de tu padre, y vete a una tierra que yo te mostraré" (Gén. 12:1).

Abrahán obedeció a Dios sin dudar, ni argumentar, sin preguntar. "Por fe Abrán cuando fue llamado obedeció para ir al lugar que habría de recibir por heredad. Y salió sin saber a dónde iba. Por la fe habitó en tierra prometida como extranjero en tierra extraña, morando en tiendas con Isaac y Jacob, coherederos de la misma promesa" (Heb. 11:8,9).

Así, pues, Abrahán sacó a su familia de Harán y se fue a

la tierra que Dios le mostraría: la tierra de Canaán.

No se pretende en este libro trazar una historia detallada de Israel desde el tiempo de Abrahán (1800 a. C) hasta el tiempo cuando Cristo vivió en esta tierra. La cadena inquebrantable de fieles que comenzó con Adán y continuó a través de generaciones hasta Abrahán, ésta se prolongó a través del hijo de la promesa, Isaac, y siguió con Jacob, hijo de Isaac… quien recibió el nombre de Israel. Y, por supuesto, los doce hijos de Jacob llegaron a ser los fundadores de las doce tribus de Israel.

El lector, sin duda, está bien relacionado con la Pascua y el Mar Rojo; con el Sinaí y el santuario; con el círculo viciado de apostasía y arrepentimiento. También está relacionado con los grandes nombres de la historia de Israel como José, Moisés, David, Salomón, Samuel, Daniel y muchos otros.

Pocas ocupaciones son tan gratificantes como repasar la historia de la nación judía desde el Génesis, capítulo once en adelante, o los libros *Patriarcas y profetas* y *Profetas y reyes*, de Elena de White.

El punto focal de este capítulo no es tanto la historia de Israel: su cronología, sus dirigentes, sus hechos y lugares o sus épocas de apostasía u obediencia. En vez de eso, una vez más, avanzamos en la historia de los leales seguidores de Dios: la fiel minoría ha permanecido leal a él desde el tiempo de Adán hasta nuestros días.

Escogido por una razón
Dedicaremos un espacio para considerar a Israel como

el escogido de Dios, y las razones por las que Dios lo escogió como su pueblo.

Dios tenía un propósito muy definido para Israel como nación. Les otorgó bendiciones y promesas asombrosas que apenas uno puede comprender. Pero, todas ellas eran condicionales. Si como pueblo le obedecían, si ellos dependían completamente de él y así vivían, llegarían a ser una maravilla asombrosa para las demás naciones de la tierra. Si no, sufrirían derrotas –y aun la cautividad–, y serían entregados en manos de sus enemigos.

Ya sabemos que sólo en parte –y por un poco tiempo– Israel cumplió con el plan y el propósito que Dios tenía para ellos. Y también sabemos que, finalmente, rechazaron completamente a Dios en la persona de Jesús–; y no sólo lo rechazaron, sino que participaron activamente en la muerte de su Creador.

Pero, en el más bajo nivel de la caída de Israel –en los momentos de su mayor apostasía– quedaron en el pueblo unos pocos fieles y leales, los verdaderos seguidores de Dios. Si así hubiera sido antes, así hubiera sido después en Israel.

Y la oportunidad de elegir concedida a los israelitas en el pasado, se nos da también hoy a usted y a mí. ¿Nos pondremos firmemente del lado de la completa lealtad a nuestro Dios? ¿Nos mantendremos fieles a él, aun si algunas veces no sólo el resto del mundo, sino muchos de nuestra propia iglesia –quizás aun nuestra propia familia– se aparten de él?

Revisar de nuevo el gran plan y propósito de Dios para

Israel, es hallar de nuevo los mismos propósitos de Dios para su Iglesia hoy: su plan para mi vida y la suya.

Y, ¿cuál era ese propósito?

"Ellos habrían de revelar los principios de su reino. En medio de un mundo caído y malvado habrían de representar el carácter de Dios. Como viña del Señor deberían producir frutos mejores y diferentes a los frutos de las naciones paganas… Era privilegio de la nación judía representar el carácter de Dios" (*Palabras de vida del gran Maestro*, p. 268).

"Era el propósito de Dios que por la revelación de su carácter mediante Israel, los hombres fueran conducidos a Él" (*Ibíd.*, pp. 272,273).

¿Cuál era la misión de Israel? ¿Cuál era la razón por la cual él los había escogido? Representar el carácter de Dios a las naciones rebeldes e incrédulas, tal como se le reveló a Moisés: su carácter santo, su bondad que incluye misericordia, gracia, paciencia, verdad y perdón. En suma, toda la bondad de Dios se halla en su amor.

Dios quería recuperar de nuevo para sí a un mundo rebelde que le había dado las espaldas. Y su plan era atraerlos mediante su nación escogida. Su propósito era que los israelitas revelaran su carácter de amor en sus propias vidas, y que mediante Israel, él pudiera conquistar para sí de nuevo al mundo.

"El propósito de Dios era impartir ricas bendiciones a todo

el mundo mediante la nación judía. Por medio de Israel había de prepararse el camino para la difusión de su luz al mundo. Las naciones de la tierra, al seguir prácticas corruptas, habían perdido el conocimiento de Dios. Sin embargo, en su misericordia, Dios no les quitó la existencia. Se propuso darles la oportunidad de llegar a conocerlo mediante su iglesia" (*Ibíd.*, p. 269).

Note bien cómo Israel iba a conquistar a las naciones de nuevo para Dios. ¿Era condenando sus prácticas viles y sus caminos paganos y perversos?

Algo mejor

Todos hoy, y muy a menudo, hasta los mismos predicadores condenan públicamente los pecados de aquellos que viven una vida sin Dios. Los amenazan con los juicios de un Dios airado, que se derramarían sin piedad, y cuando suceden desastres naturales, los señalan como evidencia de que Dios está airado y dispuesto a destruirlos.

¿Es esto lo que Dios nos pide que hagamos? ¿Fue esto lo que Dios le pidió a Israel que hiciera?

"Los habitantes del mundo adoran falsos dioses. Han de ser apartados de su falso culto, no porque oigan acusaciones contra sus ídolos, sino porque se les presente algo mejor. Han de ser pregonadas las bondades de Dios" (*Palabras de vida del gran Maestro*, p. 281).

Sí, los que viven alejados de Dios practican pecados

abominables. Pero, ya sea mediante el Israel de antaño o el pueblo de Dios hoy, ¿es la misión de los seguidores de Dios condenar, denunciar o pedir que caigan los juicios de Dios sobre los pecadores?

¿No es, más bien, mostrar al mundo "algo mejor"? ¿Y qué es ese "algo mejor"? La bondad de Dios. Su carácter; su amor.

En su esfuerzo por alcanzar a un mundo pecaminoso mediante sus seguidores, ¿ha sido siempre el plan de Dios convertir al mundo mediante amenazas? ¿Persuadirlos mediante la condenación y la ira? ¿Intimidarlos señalándoles sus pecados? ¿No será que Dios sólo tiene un medio para convertir a los rebeldes: mostrándoles claramente su amor, de manera que en forma irresistible sean conducidos de nuevo a él?

Como dice un antiguo proverbio, se cazan más moscas con miel que con vinagre. Y si eso es cierto respecto a las moscas sucias y asquerosas, cuánto más lo será con los que están en el fango del pecado.

Dios no necesita tantos fiscales, como testigos que digan la verdad acerca de él.

El propósito de Dios para el Israel de antaño se hubiera cumplido, si solo se hubieran sometido a él. Dios podría haber dado a su pueblo escogido más de lo necesario para ser sus representantes ante el mundo, puesto que él no se reservó nada.

"Dios quería hacer de su pueblo Israel una alabanza y una gloria. Les dio toda ventaja espiritual. Dios no les negó nada favorable en la formación del carácter que había de hacerlos sus representantes" (*Ibíd.*, pp. 270, 271).

Pero, a pesar de todas las bendiciones prometidas; a pesar de los ilimitados recursos puestos a su disposición, Israel finalmente falló en llevar a cabo el plan de Dios. Y porque ellos rehusaron cumplir con las condiciones que Dios les había puesto, dejaron de recibir sus bendiciones.

Imagínese el lector lo que Israel hubiera disfrutado:

"Si eran obedientes, habían de ser preservados de las enfermedades que afligían a otras naciones, y habían de ser bendecidos con vigor intelectual. La gloria de Dios, su majestad y poder habían de rebelarse en toda su prosperidad. Habían de ser un reino de sacerdotes y príncipes. Dios les proveyó toda clase de facilidades para que llegaran a ser la más grande nación de la tierra" (*Ibíd.*, p. 271).

- Protección de las enfermedades.
- Vigor intelectual.
- Prosperidad.
- Todas las bendiciones inimaginables.

Israel podría haber sido una de las grandes maravillas del mundo: la mayor nación de la tierra. Pero trágicamente, sufrieron largos siglos de cautiverio y humillación.

Ocho palabras fatídicas describen el fracaso final de Israel: "Israel no cumplió con el propósito de Dios" (*Ibíd.*, p. 273).

¿Qué sucedió? ¿cómo pudo ocurrir esto?

"Se olvidaron de Dios, y perdieron de vista su elevado
privilegio como representantes suyos. Las bendiciones
que habían recibido no proporcionaron ninguna bendición
al mundo. Todas sus ventajas fueron empleadas para su
propia glorificación. Privaron a Dios del servicio que él
requería de ellos, y robaron a sus prójimos la dirección
religiosa y el ejemplo santo" (*Ibíd.*, p. 274).

Israel, como nación, pudo haber cumplido la misión de
Dios, tan amplia y tan plenamente como ninguna otra. Pero
su fracaso fue catastrófico:

"Los judíos abrigaban la idea de que eran los favoritos
del cielo, y que siempre habrían de ser exaltados como
iglesia de Dios. Eran los hijos de Abrahán, declaraban, y
tan firme les parecía el fundamento de su prosperidad,
que desafiaban al cielo y a la tierra a que los desposeyeran
de sus derechos. Sin embargo, mediante sus vidas de
infidelidad, se estaban preparando para la condenación del
cielo y su separación de Dios" (*Ibíd.*, p. 277).

Mas, aunque la nación judía finalmente se separó de
Dios, este mundo no fue despojado de hombres y mujeres
que se mantuvieran fieles a Dios; personas que lo amaran
con todo su corazón y le sirvieran con lealtad, pasara lo que
pasara.

La cadena de fieles permaneció inquebrantable.

Al venir Jesús a este mundo, en la forma de un bebé, unos pocos de estos fieles dieron la bienvenida a su nacimiento con gozo y reconocimiento, aun cuando la gran mayoría de los israelitas no le reconocieron como su Redentor, y aun lo rechazaron.

A través de su corta existencia, y sus tres años y medio de ministerio, este mundo nunca dejó de contar con los que preferían la muerte a la vida, con tal de ser desleales a su Creador y Mesías.

La historia que se relata en este libro es la historia de esos pocos fieles; es una historia que estamos siguiendo desde Adán hasta el fin del tiempo. Es una historia que supera a la ficción, pues en ella estamos involucrados usted y yo. Como nunca antes, en este año, este mes, este día, hay solamente dos bandos, en lo que se refiere a Dios: los que son fieles y leales a él, y los que escogen caminar su propia senda.

Pertenecer a un lado o a otro, es una decisión que cada uno debe hacer antes que llegue otra noche y mañana, deben hacerla de nuevo, cuando se levanten para encarar un nuevo día.

> *Dios ha tenido siempre un pueblo fiel y leal*
> *—los llamados, los escogidos—, y todavía tiene un*
> *pueblo especial hoy.*

CAPÍTULO 5

BUSCANDO AL REY EQUIVOCADO

Imagínese que sale por la mañana al trabajo, y por la tarde vuelve a su casa, para descubrir que su familia no lo reconoce… que para ellos usted es un extraño.

O imagínese que usted va a una reunión familiar, sólo para sorprenderse que ninguno de los allí presentes tiene la más mínima idea de quién es usted.

Esperemos que nada de esto llegue a sucederle. Pero a Jesús le sucedió.

"En el mundo estaba, y el mundo por él fue hecho, pero el mundo no le conoció. A lo suyo vino, y los suyos no le recibieron" (Juan 1:10,11).

Otra versión de la Biblia lo rinde de esta manera:

"Aunque el mundo fue hecho por él, el mundo no le reconoció cuando vino. Aun en su propia tierra, entre su propia gente, no fue aceptado (*Nueva Traducción Viva*. El énfasis fue añadido).

Fue demasiado malo que el mundo no conociera a Jesús cuando vino a esta tierra. Después de todo, él era su Creador, sea que lo reconocieran o no. Y vino a proveer salvación para el mundo.

Sí, ¡lástima que el mundo no lo reconociera! Pero lo más asombroso fue que los suyos también lo rechazaron.

Aun cuando Dios compartió con ellos por lo menos trescientas profecías específicas anunciándoles la llegada de Jesús, su pueblo lo rechazó.

Aun cuando las Escrituras eran claras acerca de cómo, dónde y cuándo vendría Jesús, su pueblo lo rechazó. Pero no todos, afortunadamente.

Notemos, una vez más: Desde el principio Dios ha tenido una cadena irrompible de seguidores suyos, quienes le conocen y son leales, le aman y confían en él, y desde el principio han constituido una minoría. Son los pocos que hallan y transitan por el camino angosto que conduce a la vida. La gran mayoría toma el camino fácil que conduce a la destrucción.

Algunos podrían pensar que si –cuando la historia de este mundo acabe– sólo unos cuantos son salvos y obtienen la vida eterna, mientras que la gran mayoría se pierde y son destruidos, entonces Satanás le ha ganado la batalla a Dios.

Es cierto que cuando el tiempo sobre la tierra se acabe y comience la eternidad, de los millones que han vivido en esta tierra, los salvados, en efecto, serán una minoría. Mas recuerde estas tres cosas:

1. La vida y la muerte salvífica de Jesús proveen salvación voluntaria para todos. "Él no quiere que ninguno perezca, sino que todos procedan al arrepentimiento"

(2 Ped. 3:9. El énfasis es nuestro). Así, pues, Dios no escoge a algunos para ser salvos y a otros para que se pierdan. Cada persona, usando el libre albedrío que Dios le concedió en la Creación a cada hombre y a cada mujer… por fin, decidirán su propio destino.

2. El fin del Gran Conflicto entre el bien y el mal –entre Cristo y Satanás– no tendrá más lugar aquí. En la dramática confrontación final antes que Cristo venga, una vasta multitud se unirá a Cristo y a sus fieles seguidores. Algunos que están del lado del enemigo se unirán a Cristo. Otros, que han estado postergando su decisión, por fin la harán. No podemos decir que la minoría de los salvados será patéticamente un número muy reducido. Recordemos que Juan el revelador –al contemplar el Cielo– vio "una gran multitud, la cual ninguno podía contar, de todas las naciones, tribu, lengua y pueblo, de pie delante del trono y delante del Cordero vestidos de ropas blancas y con palmas en sus manos" (véase Apoc. 7:9. El énfasis fue añadido).

3. Finalmente, el profeta Isaías dice que cuando la gran controversia haya terminado, Jesús mismo "verá la labor de su alma y quedará satisfecho" (Isa. 53:11). El enorme sacrificio hecho por Jesús para salvar a hombres y mujeres, todo el dolor sufrido, y aun su misma muerte, realmente habrá valido la pena.

Así, pues, no debe preocuparnos que los leales seguidores de Jesús sean –y siempre han sido– pocos en número. Por eso, cuando Jesús vino a esta tierra, en cumplimiento de las promesas y profecías, los que verdaderamente eran suyos fueron tan pocos que la Biblia con exactitud declara: "que los suyos –la nación que él había escogido para que lo representara aquí en la tierra– no le recibieron".

¿Cómo pudo suceder esto?

Ojos que no ven y oídos que no oyen

Los judíos conocían las profecías. Dios se aseguró que ningún detalle respecto a la llegada de Cristo lo ignoraran. Pero toda una historia de incontables apostasías habían oscurecido el entendimiento de la nación escogida por Dios, especialmente el de sus líderes. Poseían ojos para poder leer, pero no veían con ellos; tenían oídos para escuchar a los profetas, pero eran sordos.

Dominados por el mismo espíritu que impulsó a Lucifer a exaltarse a sí mismo, fueron llenos de un irresistible deseo por llegar a ser una gran nación que pudiera dominar y controlar a todas las demás naciones. Pero la grandeza nacional que Dios quería que poseyeran era la del servicio, no el dominio mediante el poder militar. Sí, Israel creía en la venida del Mesías, pero había antepuesto a las profecías que hablaban de su venida, sus deseos preconcebidos. No deseaban –ni esperaban– a un Mesías que viniera revestido de pobreza y humildad, nacido en un establo y de padres tan pobres que no pudieran pagar el precio de una habitación en un mesón. No, ellos querían un rey conquistador, un líder militar que los librara de la opresión de los odiados romanos.

Esperaban a un Mesías según su propia visión. Así, no se dieron cuenta de su arribo cuando éste vino al mundo.

Pero no sucedió así con todos.

Algunos descubrieron al Rey verdadero

A unos humildes pastores en el campo, un ángel se les apareció y les anunció el nacimiento de Cristo. Llenos de asombro, ellos fueron a ver al recién nacido Rey. También sabios reyes del oriente vieron de noche una magnificente estrella en el cielo, y siguiéndola hasta el mismo pesebre, encontraron al Salvador, y le adoraron.

Y a través de toda su vida en esta tierra, unos pocos creyentes leales siguieron a Jesús. Sus propios padres, Juan el Bautista, y muchos otros respondieron a su predicación. María, Marta y Lázaro y los doce discípulos se contaron entre los primeros. No pocos de corazones honestos en Israel que oyeron las enseñanzas de Jesús, que presenciaron sus milagros y se abrieron a la influencia del Espíritu Santo, también ocuparon su lugar en la cadena inquebrantable de fieles.

Y cuando la vida y el ministerio de Jesús cumplieron su propósito, un oscuro viernes, cargó una cruenta cruz. Por supuesto, no todos los que estaban entre la frenética multitud concordaban con su muerte. Simón de Cirene ayudó a cargar la cruz de Cristo, y sus pasos lo llevaron a ubicarse en el lado correcto de la verdad y la salvación. Un soldado romano escogió también de qué lado se ubicaría. En la cruz, junto a él, un ladrón hizo la misma decisión: la hicieron muchos de la multitud que clamaba al pie de la cruz.

¿Quién puede saber, sino Dios mismo, cuántos hicieron su decisión a favor de Cristo durante su vida sobre esta tierra? Algún día lo sabremos y, sin duda, nos quedaremos asombrados de lo que descubriremos.

Cuando Jesús hubo terminado su misión en la Tierra, la Biblia dice que ascendió de nuevo al Cielo y se sentó a la diestra de Dios Padre. Pero antes de abandonar este mundo, él formó un Israel diferente. Esta vez, en lugar de escoger una nación en particular, abrió las puertas de este nuevo Israel espiritual a todos los que creyeran en él, invitando a cada hombre y mujer a seguirle.

Jesús estableció su iglesia, y sus seguidores llevarían su nombre. Serían conocidos en adelante como cristianos. Mediante su iglesia, Jesús extendería y aseguraría la cadena de fieles en el futuro. Su iglesia lo representaría desde su ascensión hasta su segunda venida.

La iglesia comenzó con gran éxito. Miles se convirtieron en un día. La verdad y el amor de Jesús se propagó sobre la tierra como el fuego. Pero, así como Israel, ella sufriría la oposición de Satanás. El error se infiltraría sutilmente en ella, y terminaría mezclándose con el mundo que la rodeaba. Se deslizaría hacia la apostasía, la idolatría y la herejía, hasta que nuevamente, sólo unos pocos fieles, se hallarían dentro de su seno.

Es posible entristecerse, y hasta deprimirse, al recordar la historia de Israel y ver cuán cortos quedaron ante el asombroso propósito que Dios tenía para ellos. Sería sensato estudiar la historia del segundo Israel de Dios, su iglesia, y trazar sus repetidas separaciones del propósito de Dios para ella.

Pero subraye bien esto: En la hora más oscura –en lo más profundo de su apostasía– ha habido siempre, siempre los pocos fieles en Israel quienes "no han doblado sus rodillas ante Baal". La historia de la iglesia prueba que en el tiempo de mayor corrupción, siempre han existido unos pocos fieles que han seguido a Jesús con una fe que no puede ser removida.

Vayamos ahora al nacimiento de la iglesia cristiana y sigamos su trayectoria en las primeras décadas. Descubriremos que pronto –poco después de ser fundada–, con el paso del tiempo, se desvía y cae en completa apostasía. Pero, en vez de lamentar la tragedia, celebraremos a los pocos fieles que se mantuvieron firmes del lado de lo correcto, y llegaron a ser nuestros ancestros espirituales. Ellos son los fuertes eslabones de la cadena inquebrantable de la cual nosotros aspiramos a formar parte.

Mientras lea estas líneas, la población mundial, que es aproximadamente de 6.5 mil millones de personas, se está alineando en un lado u otro en la gran controversia. Por su activismo o pasividad una gran mayoría –y eso es lo trágico– está ubicándose en el lado equivocado. Pero Dios tiene a sus fieles aun hoy, en este mismo momento. Ellos aman a Dios fervientemente, y su corazón está siempre dispuesto a obedecerle. Han escogido creer en él y servirle. Por su gracia, se mantendrán firmes en la verdad, y vindicarán su carácter hasta el último aliento.

¿Ha decidido el lector –sin mirar atrás– a cuál bando pertenecer en esta gran controversia? Si no lo ha hecho todavía, ¿por qué esperar? ¿Por qué no hace su decisión hoy mismo? Y si ya la hizo, este día puede ser uno en el cual usted le da a conocer al mundo y al universo de qué lado está.

> *Dios ha tenido siempre un pueblo fiel y leal –los llamados, los escogidos–, y todavía tiene un pueblo especial hoy.*

CAPÍTULO 6

¡FUEGO!

Cuando era joven, trabajaba durante los veranos en los bosques de Oregon –en el noroeste de los Estados Unidos– cortando madera. Una tarde cálida y seca, no muy agradable, del mes de agosto, como a unos 15 metros de donde me encontraba, vi un cable caer con fuerza sobre una roca y soltar chispas incandescentes en un cúmulo de basura seca que cubría la superficie del bosque. Las llamas brotaron instantáneamente y se propagaron hacia todas direcciones. Abalanzándome sobre el fuego, empecé a golpear las llamas con mi sombrero y mi camiseta, en un vano esfuerzo por sofocarlas. Las llamas eran tales que rápidamente se propagaban en un círculo cada vez más grande y difícil de apagar.

Todos los compañeros de trabajo cesamos las operaciones de corte de madera, e hicimos lo mejor que pudimos para apagar el fuego, pero el día era demasiado caliente y el pasto y los árboles estaban resecos. Por la tarde, gigantescos aviones sobrevolaban derramando un líquido extinguidor, color rosa, sobre un fuego que ya había consumido centenares de hectáreas. Pasarían días antes de que el fuego fuese extinguido totalmente.

Desde ese día en adelante, nunca pude pensar en el Pentecostés sin recordar aquellas llamas en las montañas de

Oregon.

El ministerio de Jesús en la tierra duró tres años. No trató de evangelizar a su pueblo escogido Israel. Tampoco trató de evangelizar a los gentiles no creyentes. Pero, a orillas del lago, y en las laderas de las montañas, pronunció sus parábolas: historias sencillas que ayudaban a la gente a entender su reino espiritual. No realizó reuniones evangelísticas, no trazó un mapa en un intento frenético por conquistar al mundo.

En vez de eso, Jesús se consagró por entero a preparar, enseñar e instruir a sus doce discípulos, hombres sencillos que confiaron en él de tal manera que abandonaron sus trabajos a fin de seguirle –aprendiendo de él– por escasos tres años. Le siguieron mientras ministraba a todos los que lo buscaban y pedían su ayuda. Sanaba al paralítico, al ciego, y les hablaba la verdad acerca de Dios, demostrando cómo es el amor cuando se lo ve de cerca.

Jesús encendió en esos doce corazones una gran chispa. Pero esos corazones no estaban tan resecos y sedientos como para hacer una erupción y estallar en llamas. Eran como árboles verdes, no como árboles secos. Cuando el ministerio de Cristo alcanzó su peldaño más alto en la cruz, uno de los doce lo traicionó, y otro lo negó.

Mas, a pesar de todo, el amor ardía lentamente en los corazones de todos ellos, excepto en uno. Cuando después de tres días Jesús se levantó de la tumba, las llamas ardieron con mayor fulgor. Luego, ascendió a los cielos ante la vista de sus discípulos compungidos.

Pero antes de hacerlo, les prometió que les enviaría su Santo Espíritu para que estuviera con ellos todos los días, hasta el fin del mundo.

Después, los discípulos se juntaron en el aposento alto y pasaron diez días en oración, limpiando sus corazones del egoísmo, el cual podía retardar el fuego purificador. Buscaron y esperaron al prometido Espíritu Santo que les daría poder.

"Y de repente vino del cielo un estruendo como de un viento recio que soplaba, el cual llenó toda la casa donde estaban sentados. Y se les aparecieron lenguas repartidas como de fuego, asentándose sobre cada uno de ellos, y fueron llenos del Espíritu Santo" (Hech. 2:2-4).

¡Pentecostés!

El fuego que había ardido en ellos lentamente por más de tres años se fortaleció y creció a semejanza de las lenguas de fuego que se les aparecieron. Y ahora todos sabemos que un poder que "sopló como el viento" produjo llamas. Los seguidores de Cristo fueron incendiados con el poder y la pasión del amor puro: consumidos en una llamarada de celo, de urgencia y determinación incontenible por rescatar al mundo para su Salvador resucitado. Al bajar del aposento alto, Pedro habló en nombre de todos, predicando con poder guiado por el Espíritu Santo, de tal manera que cuando terminó, tres mil personas aceptaron a Jesús y fueron bautizadas.

La iglesia cristiana había nacido. Y desde ese momento, se esparció en el mundo tan rápidamente y sin detenerse, que no mucho tiempo después los que se oponían a los creyentes se quejaban de que éstos habían trastornado "al mundo entero" (véase Hech. 17:6).

Parecía que la Iglesia Cristiana –el nuevo Israel de Cristo– estaba destinada a atraer rápidamente al mundo entero a Cristo con el poderoso magnetismo del amor y la verdad. Porque el amor de Cristo –demostrado en sus vidas vaciadas de egoísmo y en la muerte sacrificial de Jesús– tenía el poder para hacer lo que ningún otro podía. Derretía los corazones, destruía el yo, y hacía que el orgullo les pareciera repulsivo. Y la verdad de Cristo –así como él la enseñó y vivió– expuso las mentiras de Satanás tales cuales eran, y exaltó a un Dios y Padre amante, dispuesto a hacer volver de nuevo hacia él a sus hijos rebeldes.

Una suave llama azul

La verdad es que el fuego del Pentecostés no era un emocionalismo descontrolado, como las llamas grandes, amarillas y llamativas de un soplete recién encendido. No, eran como las llamas de un soplete que ha sido cuidadosamente ajustado, de tal modo que su llama arda con una suave flama azul blanquecina, de una intensidad bien controlada. Esa blanquecina llama caliente, pentecostal, era que Dios había descendido para llenar plenamente a los seres humanos con su Espíritu. Y, puesto que Dios es amor, cada creyente llegó a ser una antorcha viva para encender a otro con ese mismo fuego. Y cada nueva antorcha prendía el fuego en otras, iniciando así una reacción en cadena que se movía de hogar en hogar, de pueblo en pueblo, y de una provincia a otra.

No hay que olvidar, sin embargo, que el fuego del amor de Dios no es como el amor comúnmente celebrado en cantos, poesías y escenas teatrales de esta tierra.

El amor de Dios no da para conseguir.

No es una emoción pasajera.

No es una infatuación momentánea.

Nunca abandona cuando las cosas se ponen difíciles: cuando el encanto ha pasado.

El amor de Dios fue visto en su mayor expresión en la cruz. El supremo sacrificio jamás realizado, no fue hecho para beneficio de un pueblo que lo merecía, sino para "todo aquel que en él cree". Dios amó a los que había creado a pesar de su rebelión… a pesar de su deseo de eliminarlo a él. Dios los amó porque los había creado. Eran suyos, y daría hasta su propia vida para salvarlos.

Bajo ataque

En la cruz, la suerte de Satanás quedó sellada. Sería el gran perdedor en el Gran Conflicto entre él y Cristo. Satanás había aspirado a ser otra superpotencia en el universo; sus esfuerzos ahora se habían paralizado. Era ahora un oponente inútil e incapaz.

Pero, mientras tuviera vida y aliento, se opondría a Cristo y a su pueblo con más saña: la iglesia. Él iba a desatar el terror, el egoísmo y las mentiras, y haría todo lo posible para destruir a la naciente iglesia.

Para los que tuvieran ojos para ver y oídos para oír, el contraataque de Satanás no los tomaría por sorpresa. Mientras el apóstol Pablo llevaba adelante su ministerio, primero para convertir a los judíos y luego a los gentiles, dio las siguientes palabras de admonición: "Porque yo sé que después de mi partida entrarán en medio de vosotros lobos rapaces, que no perdonarán al rebaño. Y de vosotros mismos se levantarán hombres que hablen cosas perversas para arrastrar tras sí a los discípulos" (Hech. 20:29,30).

Satanás atacó a la naciente iglesia desde afuera y desde adentro. Desde afuera, los "lobos rapaces" que atacaron al rebaño. Desde adentro, se levantaron hombres hablando cosas perversas.

¿Cosas perversas?

En otra carta, Pablo amplía más el tema cuando escribe: "Porque vendrá tiempo cuando no sufrirán la sana doctrina, sino que teniendo comezón de oír, se amontonarán maestros conforme a sus propias concupiscencias, y apartarán de la verdad el oído y se volverán a las fábulas" (2 Tim. 4:3,4).

Sana doctrina, versus fábulas.

Verdad, versus mentiras.

La lucha entre la verdad y la mentira –entre la sana doctrina y la falsa doctrina– llegó a ser tan real y dura, que Pablo fue motivado a reprender a una iglesia con las palabras más fuertes jamás habladas: "Estoy maravillado de que tan pronto os hayáis alejado del que os llamó por la gracia de Cristo, para seguir un evangelio diferente. No que haya otro, sino que hay algunos que os perturban y quieren pervertir el evangelio de Cristo. Mas, si aun nosotros, o un ángel del cielo, os anunciare otro evangelio diferente del que os hemos anunciado, sea anatema. Como antes hemos dicho, también ahora lo repito: si alguno os predica diferente evangelio del que habéis recibido, sea anatema" (Gál. 1:6-9).

Pablo reforzaba sus amonestaciones en contra de las herejías que se levantarían dentro de la iglesia, al declarar que unos pocos tendrían ojos para ver: "el misterio de iniquidad, ya está obrando", dijo (2 Tes. 2:7).

Fue así como, aun después de la cruz, Satanás continúo luchando sin cejar en contra de Cristo. Él no escatimó nada. Atacó el carácter de Dios, su ley, su verdad, su evangelio, su iglesia y a su pueblo.

Desde Adán hasta Noé, desde Noé hasta Abrahán, desde Abrahán hasta Cristo, siempre, siempre hubo quienes fueron fieles a Dios y a su verdad. En ocasiones fueron muchos, otras veces pocos (como en el caso de Noé y el Diluvio): solo ocho personas. Pero ya sea con esos ocho en ocasión del Diluvio o más de tres mil en el Pentecostés, la cadena inquebrantable de fieles ha continuado a través del tiempo.

¿Quién sabe cuántos verdaderos fieles siguieron a Cristo durante el esplendor de la iglesia primitiva? ¿Quizás millones? Lo que sabemos es que, así como Pablo había advertido, el gran enemigo se levantaría y orquestaría, vez tras vez, un ataque frontal y crucial contra los escogidos de Dios. Usó tanto la persecución de afuera, como la herejía de adentro, para tratar de destruirla.

Toda la dramática historia de la iglesia cristiana –desde

el Pentecostés hasta la Segunda Venida de Cristo– se encuentra en el libro de Apocalipsis. Los primeros tres capítulos contienen el mensaje a las siete iglesias. Las siete iglesias, en realidad, son la continuación de una sola iglesia: en diferentes períodos de su historia. El principio y el fin exactos de cada etapa pueden no estar precisamente señalados, varían aun de un erudito a otro. Pero, en general, se presentan aquí las siete iglesias y su tiempo aproximado de duración en la historia:

Éfeso	Desde el Pentecostés hasta aproximadamente el año 100 d.C.
Esmirna	Desde el año 100 hasta aproximadamente el año 313.
Pérgamo	Desde el año 313 hasta aproximadamente el año 538.
Tiatira	Desde el año 438 hasta aproximadamente el año 1517.
Sardis	Desde el año 1517 hasta aproximadamente el año 1798.
Filadelfia	Desde el año 1798 hasta aproximadamente el año 1844.
Laodicea	Desde el año 1844 hasta el fin.

En los siguientes capítulos de este libro, consideraremos la historia del pueblo de Dios en cada uno de estos períodos de tiempo, bajo los símbolos de las siete iglesias. El próximo capítulo tratará de las primeras tres: Éfeso, Esmirna, y Pérgamo.

De allí, seguiremos a la iglesia a través del largo túnel de la Edad Media, bajo el símbolo de Tiatira. La iglesia de la Reforma sigue bajo el símbolo de la iglesia de Sardis. De la Reforma, hasta el año 1844, exploraremos a la iglesia al entrar en lo que en la historia se conoce como el "gran despertar del advenimiento": la iglesia de Filadelfia.

Con el año 1844, llegamos al surgimiento del remanente, y los capítulos finales de este libro tratarán sobre el rol del remanente. Estos capítulos debieran ser de un gran interés e importancia para usted y para mí, pues tratan acerca de los Estados Unidos. Tratan acerca de nuestros privilegios y las obligaciones de continuar en la cadena irrompible de fieles. Muestran cómo Dios quiere usarnos en nuestra vida diaria para atraer a los rebeldes. Tratan de que sepamos quiénes somos y por qué estamos aquí.

Hay una línea trazada desde Adán hasta usted y yo. Y en medio de ese período de tiempo, por unos seis mil años o más, Dios ha forjado su cadena irrompible de fieles y leales.

Yo quiero ser uno de los eslabones fuertes de esa extraordinaria cadena: un eslabón al cual otros puedan, oportunamente unirse, a fin de extender la cadena a través del tiempo, hasta que la gran batalla cósmica termine.

Y, terminará muy pronto, mi amigo.

Pronto… pero todavía no.

Dios ha tenido siempre un pueblo fiel y leal —los llamados, los escogidos—, y todavía tiene un pueblo especial hoy.

CAPÍTULO 7

¡QUE LLUEVA!

Si en verdad Nerón prendió el fuego, la historia no lo puede asegurar. Pero sí confirma que él fue acusado de ser el primer culpable hasta que halló un chivo expiatorio.

Cuando un incendio barrió con la ciudad de Roma en el año 54 d.C., dejando intactos sólo cuatro de sus catorce distritos, los rumores que cundieron entre la ciudadanía eran que había sido el emperador mismo, Nerón (quien gobernó Roma desde el año 54 – 68 d. C.). Circularon también rumores que durante la semana que las llamas continuaron, Nerón tocaba su lira y con ella cantaba desde una colina mientras la ciudad ardía y se consumía.

Para desviar la sospecha no muy grata de parte del populacho, Nerón acusó a los cristianos que vivían en Roma de ser los culpables. Esto es lo que registró el historiador Tácito.

"Así, para librarse de este rumor, Nerón culpó de este crimen y castigó con la más refinada crueldad, a una clase odiada por sus abominaciones, a quienes comúnmente se les conocía como cristianos". Los chivos expiatorios de Nerón fueron la selección perfecta, porque temporalmente lo alivió de la presión y de los rumores que circulaban acerca de él en Roma.

¿Sus abominaciones?

¿De qué fueron acusados estos cristianos?

Como en el caso de Jesús, el fundador de la iglesia, las falsas acusaciones lo llevaron a la muerte, así fue el caso de los cristianos. Se difundieron mentiras respecto a los seguidores de Cristo. En el gran conflicto entre el bien y el mal, entre Cristo y Satanás, Cristo había ganado la batalla decisiva en la Cruz del Calvario. La suerte última de Satanás fue sellada cuando Jesús exclamó: "Consumado es".

Mas, aunque la suerte última de Satanás fue decidida la tarde de ese oscuro viernes, otros asuntos concernientes a la contienda entre él, una vez exaltado ángel del Cielo y su Creador, quedaban sin resolverse. Preguntas acerca de la legitimidad de su Ley, su gobierno y su carácter, permanecían sin respuestas.

Una vez que Jesús regresó al cielo y se sentó a la diestra del Padre, Satanás enfocó su insaciable furia en contra de los seguidores de Cristo en la tierra. Mientras Jesús recorría los caminos de Palestina, Satanás levantó toda clase de mentiras respecto de él. Esta vez, continuó con la misma táctica en contra de los seguidores de Cristo.

Los rumores se esparcieron como las llamas de Roma. La práctica de la Cena del Señor produjo raras acusaciones, como la de que los cristianos practicaban el canibalismo o que hacían sacrificios humanos. El descanso sabático los catalogaba como flojos, que se entregaban en ese día a viles orgías y otras conductas depravadas.

Así, cuando Nerón desvió la sospecha de que él había quemado a Roma hacia los cristianos, fue muy fácil de creer. Los historiadores de esa época registran que la persecución que siguió fue motivada no tanto por la culpa del incendio de Roma, sino por la idea prevaleciente de que los cristianos eran enemigos de la humanidad.

Y se desató la más terrible persecución.

El historiador Tácito registra: "Vestidos con pieles de fieras eran despedazados por perros, y así morían. Eran crucificados o quemados vivos sirviendo como antorchas para alumbrar por las noches cuando el día había terminado".

Los seguidores de Cristo eran quemados vivos, sirviendo como antorchas para iluminar las noches oscuras; crucificados, o entregados a los perros para que los despedazaran. ¡Qué horror!

"Los poderes de la tierra y del infierno –escribió Elena de White– se coligaron para atacar a Cristo en la persona de sus seguidores. El paganismo previó que si el evangelio triunfaba, sus templos y altares serían eliminados, por eso sumaron sus fuerzas para destruir al Cristianismo" (*El conflicto de los siglos*, p. 39).

"Desde el monte de los Olivos el Salvador contempló la tormenta que se abatiría sobre la iglesia apostólica, y, penetrando aun más en el porvenir, sus ojos discernieron la cruel y devastadora tempestad que se abatiría sobre sus seguidores en los tiempos de oscuridad y persecución que habrían de venir" (*Ibíd.*, p. 43).

Sobre el monte de los olivos Jesús pronunció la siguiente declaración: "Entonces os entregarán a tribulación, y os matarán, y seréis aborrecidos de todas las gentes por causa de mi nombre" (Mat. 24:9).

La persecución de los cristianos fieles no terminó con Nerón, sino que continuó por siglos. La historia registra a lo menos diez de las más grandes persecuciones en contra de los cristianos, empezando desde Nerón, y continuando con sus sucesores:

- Nerón (64)
- Domiciano (c. 90–96)
- Trajano (98–117)
- Adriano (117–138)
- Marco Aurelio (161–181)
- Septimio Severo (202–211)
- Decio (235–249)
- Máximo de Tracia (249–251)
- Valeriano (257–260)
- Diocleciano (303–311)

"Las persecuciones que empezaron bajo el imperio de Nerón cerca del tiempo del martirio del apóstol Pablo continuaron con mayor o menor intensidad por varios siglos. A los cristianos se les acusó falsamente de los más terribles crímenes, y fueron declarados ser los causantes

de terribles calamidades: hambres, pestes y terremotos.
Como eran objeto de los más encarnizados odios y
sospechas del pueblo, no faltaban delatores que por vil
interés estaban listos a traicionar a los inocentes. Se los
condenaba como rebeldes contra el imperio, enemigos de
la religión y azotes de la sociedad. Muchos eran arrojados
a las fieras o quemados vivos en los anfiteatros. Algunos
eran crucificados; a otros los cubrían con pieles de animales
salvajes y los echaban a la arena para ser despedazados
por furiosos perros. Estos suplicios constituían, a menudo,
la principal causa de diversión en las fiestas populares de
Roma. Grandes muchedumbres solían reunirse para gozar
de semejantes espectáculos y saludaban la agonía de los
moribundos con risotadas y aplausos" (*Ibíd.*, p. 44).

De estos fieles la Biblia dice: "Otros experimentaron
vituperios y azotes, y a más de esto prisiones y cárceles.
Fueron apedreados, aserrados, puestos a prueba, muertos
a filo de espada; anduvieron de acá para allá cubiertos
de pieles de ovejas y de cabras, pobres, angustiados,
maltratados; de los cuales el mundo no era digno; errantes
por los desiertos, por los montes, por las cuevas y por las
cavernas de la tierra" (Heb. 11:36-38).

¿Cuáles fueron los resultados de semejante martirio?
¿Tuvo éxito en su intento de desanimar a aquellos
primeros cristianos? ¿Fue demasiado aquel horror? ¿Se
descorazonaron a tal grado que se dieron por vencidos?

"Vanos fueron los esfuerzos de Satanás para destruir la

iglesia de Cristo mediante la violencia. . . triunfaban por su derrota" (*Ibíd.*, p, 45).

La sangre de los cristianos fructifica

Tertuliano escribió: "Más somos cuanto derramáis más sangre; que la sangre de los cristianos es semilla".

Los intentos de destrucción de Satanás fueron inútiles. Pero de él podríamos decir que no es un tonto. La notable inteligencia con la cual fue creado no disminuyó cuando cayó en pecado. Simplemente la reenfocó hacia el mal.

Y, claro, era tiempo de cambiar sus estrategias.

"El gran adversario se esforzó entonces por obtener con artificios lo que no consiguiera por la violencia. Cesó la persecución y la reemplazaron las peligrosas seducciones de la prosperidad temporal y del honor mundano. Los idólatras fueron inducidos a aceptar parte de la fe cristiana, al par que rechazaban otras verdades esenciales. Profesaban aceptar a Jesús como el Hijo de Dios y creer en su muerte y en su resurrección, pero no eran convencidos de su pecado ni sentían necesidad de arrepentirse o de cambiar de corazón. Habiendo hecho algunas concesiones, propusieron que los cristianos hicieran las suyas para que todos pudiesen unirse en el terreno común de la fe en Cristo.

"La iglesia se vio entonces en gravísimo peligro, y en comparación con él, la cárcel, las torturas, el fuego y la espada eran bendiciones. Algunos cristianos permanecieron firmes, declarando que no podían transigir. Otros se declararon dispuestos a modificar en algunos puntos su confesión de fe y unirse con los que habían aceptado parte del cristianismo, insistiendo en que ello podría llevarlos a una conversión completa. Fue un tiempo de profunda angustia para los verdaderos discípulos de Cristo. Bajo el manto de un cristianismo falso, Satanás se introducía en la iglesia para corromper la fe de los creyentes y apartarlos de la Palabra de verdad.

"La mayoría de los cristianos al fin consintieron en rebajar sus normas y se formó una unión entre la cristiandad y el paganismo" (*Ibíd.*, pp. 46,47).

La persecución no logró su objetivo. ¿Pero qué del esfuerzo por promover la indiferencia? Allí fue donde el enemigo tuvo gran éxito.

Bajo los símbolos de las siete iglesias, el libro de Apocalipsis traza la historia completa de la Iglesia Cristiana desde que fue fundada, hasta el regreso de su Fundador. Y, aunque, como ya lo hicimos notar en el capítulo anterior, la fecha exacta donde comienza y termina cada etapa de su desarrollo varía de un erudito bíblico a otro. El período aproximado para las primeras tres iglesias es como sigue:

Éfeso	Desde el Pentecostés hasta aproximadamente el año 100 d.C.
Esmirna	Desde el año 100 hasta aproximadamente el año 313.
Pérgamo	Desde el año 313 hasta aproximadamente el año 538.

Éfeso

Note ahora el mensaje que Dios envía a la iglesia de Éfeso, la primera de las siete iglesias:

"Escribe al ángel de la iglesia en Éfeso: El que tiene las siete estrellas en su diestra, el que anda en medio de los siete candeleros de oro, dice esto: 'Yo conozco tus obras, y tu arduo trabajo y paciencia; y que no puedes soportar a los malos, y has probado a los que se dicen ser apóstoles y no lo son, y los has hallado mentirosos, y has sufrido, y has tenido paciencia, y has trabajado arduamente por amor de mi nombre, y no has desmayado. Pero tengo contra ti, que has dejado tu primer amor. Recuerda, por tanto, de dónde has caído y arrepiéntete, y haz las primeras obras; pues si no, vendré pronto a ti, y quitaré tu candelero de su lugar, si no te hubieres arrepentido'" (Apoc. 2:1-5).

No es posible en este libro explicar en detalle cada palabra y frase de los mensajes a las siete iglesias. Pero, note esto respecto al primer mensaje: Dios reconoce el "trabajo" y la "paciencia" de estos primeros cristianos.

Motivados por un amor más fuerte que la muerte de su Líder, estos primeros cristianos sufrieron las más terribles persecuciones. Fueron fieles y leales, no importara cuál fuese el precio a pagar.

Pero, con el tiempo, algunos comenzaron a perder su conexión con su Líder, y muchos otros comenzaron a dar por sentada su relación con Jesús.

Sucede muy a menudo que los recién casados, envueltos

por el fuego del primer amor, harían cualquier cosa el uno por el otro… aun hasta morir si eso es necesario. Pero el paso del tiempo, la tensión, el descuido, pueden obrar un cambio sutil y progresivo que no es fácil notar. El fuego del primer amor se apaga, y puede tornarse sencillamente en brasas… o aun en carbones y cenizas.

Quizás hasta podría concluirse que la pasión y la intensidad del primer amor no pueden continuar indefinidamente. En los matrimonios saludables, esto se transforma en algo más sustentable: un continuo y profundo aprecio mutuo, comprometido, que ata y que es más fuerte, rico y más duradero que los fuegos románticos del primer amor.

En efecto, tristemente, "el primer amor", demasiado a menudo da pie al aburrimiento, la irritación y la apatía, dejando sólo carbones apagados de lo que una vez fue un fuego devorador.

A la iglesia de Éfeso, Dios le dijo: "Has dejado tu primer amor. Arrepiéntete… y haz las primeras obras". Muchas relaciones deterioradas pueden restaurarse cuando las parejas comienzan a hacer nuevamente, el uno por el otro, aquellas cosas que una vez hicieron sin esfuerzo alguno.

Aunque más o menos por el año 100 d.C. –el final del período de la iglesia de Éfeso, y la persecución había comenzado– el que es la cabeza de la iglesia halló necesario advertirle que aunque algunos permanecían fieles aun hasta la muerte, otros estaban permitiendo que la complacencia reemplazara su apasionado primer amor.

Cristo, la cabeza de la iglesia, sabía que sus seguidores no permanecerían si ellos descuidadamente permitían que esto sucediese. "Arrepiéntanse, regresen, retomen su celo original", les urgía. Ellos necesitaban urgentemente su primer amor; Esmirna estaba por ese tiempo a la vuelta de la esquina.

Esmirna

Esmirna, la iglesia cuyo período histórico data de los años 100–313 d.C., sería la iglesia durante cuya etapa se desató la más intensa persecución. La carta de Dios a esta iglesia es la única de las siete que carece de reproche.

"Y escribe al ángel de la Iglesia de Esmirna: 'El Primero y el Postrero; el que estuvo muerto y vivió dice esto: Yo conozco tus obras, y tu tribulación, y tu pobreza (pero tú eres rico), y la blasfemia de los que se dicen ser judíos y no lo son, sino sinagoga de Satanás. No temas en nada lo que vas a padecer. He aquí, el diablo echará a algunos de vosotros en la cárcel, para que seáis probados, y tendréis tribulación por diez días. Sé fiel hasta la muerte, y yo te daré la corona de la vida'" (Apoc. 2:9,10).

Para los que iban a enfrentar la muerte por su fe, seguramente debieron haber sido reconfortantes y animadoras estas palabras, en las que se les recordaba que su Señor "había sido muerto, y vivía". Así también les iba a suceder a ellos.

Sé, les decía su Líder, lo que van a afrontar. Sé que

algunos de ustedes van a sufrir prisiones por su fe. Algunos de ustedes van a morir. Pero no teman. Si son fieles hasta la muerte, yo les daré la corona de la vida.

Lo que Jesús dijo a la iglesia de Esmirna, es una promesa cierta para la iglesia en estos tiempos finales. Justamente antes de la Segunda Venida de Cristo, algunos de sus seguidores volverán a encarar la muerte por su fe. Posiblemente esto suceda a algunos de los que ahora vivimos. La promesa de la corona de la vida es también para los que vivimos en el tiempo del fin.

"Tendréis tribulación por diez días", dijo Dios. Y, siendo que es cierto que las persecuciones continuaron en forma intermitente durante los primeros siglos y durante los distintos emperadores romanos, es conocido ampliamente que la más sangrienta e intensa persecución de todas fue durante diez años, del año 303-313 d.C., bajo el mando del emperador Diocleciano. Aplicando el principio de día por año al interpretar las profecías de la Biblia (véase Núm. 14:34; Eze. 4:6), diez días equivale a diez años.

Pérgamo

Llegamos a la iglesia que representa el cambio de estrategia de Satanás: de la persecución a la tibieza. A partir del año 313 hasta más o menos el año 538 d.C., el paganismo y el cristianismo crecieron un poco más entrelazados. Durante esta época, la Iglesia Romana llegó a dominar la cristiandad, iniciando una hueste de prácticas y doctrinas desconocidas para la iglesia cristiana primitiva. Finalmente, la línea que separaba a la iglesia del "estado"(gobierno), creció sumamente empañada.

> "Y escribe al ángel de la iglesia en Pérgamo: El que tiene la espada aguda de dos filos dice esto: Yo conozco tus obras, y dónde moras, donde está el trono de Satanás; pero retienes mi nombre, y no has negado mi fe, ni aun en los días en que Antias mi testigo fiel fue muerto entre vosotros, donde mora Satanás. Pero tengo unas pocas cosas contra ti: que tienes ahí a los que retienen la doctrina de Balaán, que enseñaba a Bala a poner tropiezo ante los hijos de Israel, a comer de las cosas sacrificadas a los ídolos, y a cometer fornicación. Y también tienes a los que retienen la doctrina de los nicolitas, la cual yo aborrezco. Por tanto, arrepiéntete; pues si no, vendré a ti pronto, y pelearé contra ellos con la espada de mi boca" (Apoc. 2:12–15).

Nuevamente, sin intentar incursionar en todos los detalles de este mensaje, es claro que Jesús recuerda a su pueblo acerca de su fe que aun los llevó al martirio, pero los llama a rendir cuentas por estar comprometiendo la pureza de sus doctrinas. Ellos han aceptado el error en vez de la verdad.

Desde la supuesta "conversión" del emperador Constantino en el año 313 d.C., cuando hizo del cristianismo la religión oficial del imperio, hasta el establecimiento del poder papal, en el año 538 d.C., el cristianismo poco a poco entró en una fatal indiferencia. El sábado bíblico dio paso al día de reposo falso: el domingo. La Biblia, como la única autoridad y regla de fe para los cristianos, dio lugar a la tradición humana. A la libertad religiosa se la tachó de herejía, y la salvación ya no fue más un don gratuito, sino una recompensa dada al esfuerzo humano.

Ya hicimos notar que cuando Satanás vio que la persecución no estaba dando resultados como para destruir a los seguidores de Cristo, él se movilizó ahora usando la táctica de promover la indiferencia. ¿Pero significaba esto que Satanás iba a abandonar para siempre la persecución? Evidentemente no.

"Hay otros asuntos de mayor importancia que deberían llamar la atención de las iglesias hoy día. El apóstol Pablo declara que 'todos los que quieran vivir píamente en Cristo Jesús, padecerán persecución' (2 Tim. 3:12). ¿Por qué, entonces, parece adormecida la persecución en nuestros días? El único motivo es que la iglesia se ha conformado a las reglas del mundo y, por lo tanto, no despierta oposición. La religión que se profesa hoy no tiene el carácter puro y santo que distinguiera a la fe cristiana en los días de Cristo y sus apóstoles. Si el cristianismo es aparentemente tan popular en el mundo, ello se debe tan sólo al espíritu de transigencia con el pecado, a que las grandes verdades de la Palabra de Dios son miradas con indiferencia, y la poca piedad vital que hay en la iglesia. Revivan la fe y el poder de la iglesia primitiva, y el espíritu de persecución revivirá también y el fuego de la persecución volverá a encenderse" (*Ibíd.*, p. 52).

Si los esfuerzos de Satanás en aquellos primeros siglos para seducir a los cristianos a ser indiferentes no hubieran tenido éxito –si ellos hubieran permanecido leales–, la implicación que se deduce de acuerdo al párrafo de arriba es que Satanás hubiera retomado la persecución, y quizás hasta la hubiese intensificado.

¿Por qué no hay persecución hoy como la que sufrieron los primeros cristianos? Porque a Satanás le conviene más promover la indiferencia, no sólo a nivel de la iglesia (indiferencia, con respecto a las verdades de la Biblia), sino a nivel personal (indiferencia con respecto al pecado).

Todo adventista sabe que la lluvia tardía vendrá. Sabemos que un gran reavivamiento tendrá lugar antes que llegue el fin. Sabemos que "la piedad primitiva" prevalecerá nuevamente.

Y cuando esto suceda, la persecución volverá. Un tiempo de angustia tendrá lugar de nuevo. Todo lo que los primeros cristianos sufrieron –y algo más– lo experimentará el pueblo de Dios en el tiempo del fin.

Para algunos esto es espantoso. Cualquiera se preguntará si tendrá la fuerza para mantenerse firme a favor de la verdad, y por quién es la Verdad, aunque tenga que pasar por la persecución y la misma muerte. ¿Podremos aguantar la tortura? ¿El hambre? ¿El calabozo? ¿La muerte?

Gracia, cuando sea necesaria

Dios dice:"Bástate mi gracia, porque mi potencia en la flaqueza se perfecciona" (2 Cor. 12:9).

Hoy –en este mismo momento– usted no obtendrá gracia mediante la persecución y la muerte, porque eso no es lo que afronta hoy. Pero si llegara el tiempo en que Dios le pide, le permite, sí, le honra como uno que puede afrontar estas pruebas, entonces, y SÓLO entonces, él le otorgará gracia para ese preciso momento.

Sin embargo, en la medida en que hoy soy fiel a mi Señor, lo seré también entonces.

En Éfeso, Esmirna y Pérgamo, Dios ha tenido sus fieles y leales. Ellos fueron parte de esa cadena inquebrantable que comenzó con Adán y continuó a través de todas las edades. Es una cadena irrompible de la cual usted y yo somos eslabones.

Cuando el gran tiempo de prueba venga, queremos estar firmes. ¿Cuál será nuestra mejor preparación? Fortalecer nuestra conexión lo más posible con la fuente de toda fortaleza. Hoy, mañana, y todos los días.

Uno de los éxitos discográficos estadounidense contiene las siguientes palabras: " Mañana es otro día … de todos modos, tengo sed … así, pues, traigan la lluvia".

¿Hay algún adventista, en algún lugar, que no puede decir lo mismo, y aplicarlo a nuestras esperanzas de un reavivamiento futuro? Sí, otro día, el mañana. Y seguiré sediento, Señor. Así, pues, trae la lluvia… la lluvia tardía.

> *Dios ha tenido siempre un pueblo fiel y leal*
> *—los llamados, los escogidos—, y todavía tiene un*
> *pueblo especial hoy.*

CAPÍTULO 8

LA MUJER EN EL DESIERTO

L a industria del cine de Hollywood se asemeja a los que practican el deporte del surf[1]: va siempre en busca de la ola más grande.

Si descubre que un libro sobre temas religiosos está en primer lugar en la lista de los libros más vendidos, se lanzan de inmediato a convertirlo en película. Cuando la serie de libros titulados Olvidados impuso nuevas marcas al ser los libros más publicados en el mundo, ello preparó el camino para que el actor Mal Gibson produjera la película titulada La pasión de Cristo. Y cuando esa película produjo lo resultados esperados, otros productores de cine no perdieron tiempo en salir al mercado con otros títulos como El Código Da Vinci, El León, La Bruja, y El Manto.

Olvídese, Hollywood nunca va a regirse por lo que es correcto. Si no apelan intencionalmente al emocionalismo, entonces comercian con la "religión", que es francamente errónea o antibíblica, o aquello que emplea la fantasía como medio.

Si los productores de cine quieren realmente filmar una película religiosa que deslumbre a los espectadores –algo

1   El surf o surfing es un deporte que consiste en deslizarse sobre las olas del mar de pie sobre una tabla especial.

así como un drama cautivante y sensacional por sus efectos especiales–, sin duda van a recurrir inclusive a las profecías de los libros de Daniel y Apocalipsis y llevarlos a la pantalla grande. Pero si no lo logran, ya que aun tratan de "mejorar" la historia cambiándola, o adaptándola, con todo, no se dan ni darán por vencidos.

Pero nadie puede mejorar las historias de Daniel y Apocalipsis. Tome por ejemplo la historia del Dragón y la Mujer. Como adventista del séptimo día, sin duda, usted conoce la historia muy bien. Si es así, entonces ya sabe que es una buena historia. Así, que active la pantalla grande de alta definición; la pantalla gigante de su imaginación, y vea de nuevo el drama de Apocalipsis, capítulo 12.

"Una gran señal apareció en el cielo. Una mujer vestida de sol, y la luna debajo de sus pies, y sobre su cabeza una corona de doce estrellas. Estaba en cinta, y clamaba con dolores, porque estaba por dar a luz. Entonces apareció otra señal en el cielo. Un gran dragón rojo, que tenía siete cabezas y diez cuernos, y en sus cabezas siete diademas. Su cola arrastraba la tercera parte de las estrellas del cielo, y las arrojó sobre la tierra. Y el dragón se paró ante la mujer que estaba por dar a luz, a fin de devorar a su Hijo en cuanto naciera" (Apoc. 12:1-4).

Los buenos escritores de historias usan una técnica llamada en inglés "flashback", que consiste en interrumpir la historia que están relatando, para regresar de nuevo a un punto de la historia tratado antes. El apóstol Juan –autor del

Apocalipsis– fue un buen escritor. En los versículos arriba citados, él dice que con su cola, el dragón arrastró a la tercera parte de las "estrellas del cielo", y las arrojó sobre la tierra.

La historia continúa. Pero más tarde, Juan regresa de nuevo al pasado cuando las "estrellas del cielo" fueron arrojadas sobre la tierra.

"Y hubo una gran batalla en el cielo. Miguel y sus ángeles combatieron contra el dragón, y el dragón y sus ángeles combatieron; pero éstos no prevalecieron, ni se halló más lugar para ellos en el cielo. Y fue lanzado fuera ese gran dragón, la serpiente antigua que se llama diablo y Satanás, que engaña a todo el mundo. Fue arrojado a la tierra, y sus ángeles fueron arrojados con él" (Apoc. 12:7-9).

Los ángeles del dragón –"una tercera parte de las estrellas del cielo"– fueron arrojados del cielo con él.

Estos tres versículos describen brevemente el mismo comienzo de la gran controversia entre el bien y el mal. Cuando el dragón (claramente identificado aquí como el diablo, o Satanás, el ángel caído, Lucifer) le declaró la guerra a Dios, él y una tercera parte de los ángeles del cielo a los cuales había engañado con sus mentiras, pelearon contra Miguel (Cristo).

La Mujer en el desierto

Pero, entonces, ya en la tierra, Satanás el dragón, continuó su guerra contra Dios. Un cuidadoso estudio del

Apocalipsis deja en claro que la mujer es símbolo de la iglesia. En Apocalipsis 12, vemos a una mujer buena; en Apocalipsis 17, va a descubrir a una mujer mala.

El relato bíblico muestra que la mujer está por dar a luz, y Juan nos pinta luego el cuadro de un dragón rugiente que aguarda para devorar al niño de la mujer en el mismo instante de su nacimiento. Pero Dios protegió a la mujer y a su niño.

"Y ella dio a luz un Hijo varón, que había de regir a todas las naciones con vara de hierro. Y su hijo fue arrebatado para Dios y para su trono. Y la mujer huyó al desierto, a un lugar preparado por Dios, para que allí la sustenten durante mil doscientos sesenta días" (Apoc. 12:5,6).

Este hijo varón no era otro que Jesús, el mismo Miguel contra quien el dragón había luchado en el Cielo. Ahora bien, Jesús vino a la tierra para nacer como un bebé, crecer como un hombre, y convertirse en el Salvador de la raza humana.

Mas, después de su vida, muerte y resurrección, Jesús fue "arrebatado para Dios y su trono". Entonces el dragón dirigió su feroz ataque contra la mujer: la iglesia que Jesús había establecido antes de ascender al Cielo.

Juan dice que ella "fue llevada al desierto" donde Dios la alimentó por "mil doscientos sesenta días".

Pero, "cuando el dragón vio que él había sido arrojado a la tierra, persiguió a la mujer que había dado a luz al varón.

Mas a la mujer le fueron dadas dos alas de una gran águila,
para que volara de la presencia de la serpiente, al desierto,
a su lugar, donde es sustentada por un tiempo, tiempos, y
medio tiempo" (Apoc. 12:13,14).

Un tiempo, tiempos y medio tiempo, o mil doscientos
y sesenta días. ¿A qué se refiere esto? Cuando se habla de
tiempos proféticos, la Biblia dice que un día equivale a
un año (véanse Núm. 14:32 y Eze. 4:6). Al hacer cálculos
proféticos, un año también contiene 360 días. Hagamos un
poco de matemáticas. Mil doscientos sesenta días proféticos
(1260) es igual a 1, 260 años. Si comparamos los versículos
citados, llega a ser evidente que un "tiempo" equivale a un
año. Así, pues, "un tiempo" (360 días), más "dos tiempos" (2
x 360 días) y "la mitad de un tiempo"(180 días), equivalen a
1,260 días o años literales. ¿Vamos bien?

Los "mil doscientos sesenta días" del versículo 6, son los
mismos e igual a "tiempo, tiempos, y la mitad de un tiempo"
del versículo 14.

La mujer estaría en el desierto por 1,260 años.

Pero, hagamos las cosas más interesantes. Note lo
siguiente en el Antiguo Testamento, en el libro de Daniel:

"Hablará palabras contra el Altísimo, a los santos del
Altísimo quebrantará, y tratará de cambiar los tiempos y
la ley. Y entregados serán en su mano por un tiempo, dos
tiempos, y medio tiempo" (Dan. 7:25).

Aquí el sujeto es la grande y terrible bestia de diez cuernos. Pero nótese por cuánto tiempo este gran poder "perseguiría a los santos": "Tiempo, tiempos y la mitad de un tiempo". ¿Le suena familiar?

Tanto Daniel como el Apocalipsis predicen un período de 1,260 años. Daniel dice que durante este tiempo, los santos serían perseguidos. El Apocalipsis dice que durante este tiempo la mujer sería perseguida. La mujer, la Iglesia, los santos, todos son la misma cosa.

Al observar tanto a Daniel como el Apocalipsis, nos damos cuenta que muchas cosas suceden durante este período de 1,260 años:

- Los santos (o la mujer) son perseguidos.
- La mujer huye al desierto, a un lugar que Dios le ha preparado, donde es alimentada y cuidada.
- Un gran poder controla y dirige todo, el cual "habla palabras contra el Altísimo".
- Este poder persigue a los santos.
- Este poder intenta "cambiar los tiempos y la ley".

La mayoría de los estudiosos de la Biblia adventistas conocen los detalles de la profecía de los 1,260 años. Si esta afirmación le incluye a usted, entonces bien sabe que este gran poder que gobernó fue la unión del cristianismo apostólico con el paganismo idólatra, lo cual dio origen al poder papal.

El poder creciente del obispo de Roma

Los "obispos" o líderes de las iglesias cristianas, al principio no tenían una autoridad gobernante centralizada. Pero, con el tiempo, la iglesia, en cierta área, creció y se hizo más fuerte, y sus obispos se hicieron más prominentes: ésta fue la iglesia de Roma. Otros líderes espirituales comenzaron a trazar distintas formas para las prácticas litúrgicas de la iglesia en Roma, bajo la dirección de su obispo.

Cuando –como lo hicimos notar en el capítulo anterior– el paganismo se introdujo en la Iglesia, en ninguna parte obtuvo más éxito que en la sede del emperador. A principios del siglo IV, bajo el emperador Constantino, el cristianismo llegó a ser la religión del Estado, o a lo menos "una clase" de cristianismo. Para entonces, la iglesia se había comprometido y daba la bienvenida a una hueste de doctrinas y prácticas paganas que en nada se parecían al cristianismo puro de los primeros cristianos.

La autoridad y el poder del obispo –o papa– de Roma poco a poco creció, de tal manera que podía publicar edictos que obligaban a las otras iglesias cristianas a acatarlos. Luego, en el año 533 d.C., el emperador romano Justiniano, publicó un decreto mediante el cual colocaba al obispo de Roma como "la cabeza de todas las Santas Iglesias de Roma". Para ello, ciertos poderes religiosos en el imperio tenían que ser eliminados antes que este decreto entrara en vigor. Esos poderes fueron erradicados en el año 538 d.C. y, de ese tiempo en adelante –por los siguientes 1,260 años–, el poder papal fue supremo.

Tanto este capítulo como el próximo se enfocarán en el período de los 1,260 años. Si usted ha leído hasta aquí, habrá notado que hemos venido describiendo en orden las siete iglesias de Apocalipsis. Los 1,260 años abarcan a dos de ellas: Tiatira (538 a 1517) y Sardis (1517 a 1798 d.C.). Hasta ahora nos hemos enfocado en la etapa correspondiente a Tiatira. El capítulo 9 de Apocalipsis corresponderá a la iglesia de Sardis.

Tristemente, por el año 538 d.C., la iglesia romana se había convertido en un sistema cargado de falsas enseñanzas y prácticas corruptas. Las tradiciones humanas y edictos papales llegaron a tener más autoridad que la propia Biblia. Ésta fue vedada a todos, excepto a los sacerdotes. El acceso a la Palabra de Dios era permitido únicamente a través de los sacerdotes, y la salvación se lograba mediante ciertos rituales y actos religiosos. El purgatorio, las indulgencias, la Mariolatría, el bautismo por aspersión, Pedro como el fundador de la iglesia, la infalibilidad papal, la misa, la transubstanciación, la confesión de los pecados ante los sacerdotes, la adoración de las imágenes, fueron algunos de los errores que se practicaron y multiplicaron, enseñanzas todas contrarias a la Biblia. Este nuevo sistema religioso era totalmente desconocido para los primeros cristianos.

Si bien toda esta falsedad religiosa fue triste para los primeros cristianos, lo fue más todavía la determinación de la iglesia romana de imponer dichas enseñanzas y prácticas y su voluntad por la fuerza. Los que no se rendían, fueron perseguidos, y muchos destruidos.

Sin embargo, a través de todo este tiempo de oscurantismo, desde el año 538 d.C. hasta que se desmoronó el poderío papal en el año 1798, Dios tuvo un pueblo fiel: humildes, pero creyentes decididos y leales a su Señor, aunque eso significara sufrir persecución y muerte.

Éstos se mantuvieron firmes de parte de la verdad de Dios, pasara lo que pasara. Continuaron adorando a Dios en el día sábado –no en el día domingo fabricado por el hombre e impuesto por la iglesia Romana–, manteniendo en alto la Biblia, y la Biblia sola como su única autoridad, y no las tradiciones y edictos de hombres falibles. Se mantuvieron fieles a la verdad bíblica respecto a la salvación, el bautismo, y el estado de los muertos.

Cuando se vieron sitiados, este grupo de hombres leales "huyeron al desierto", y buscaron refugio en las montañas y las áreas deshabitadas. Nótese el interés de Satanás:

"Entonces la serpiente echó de su boca tras la mujer, agua como un río, para que fuese arrastrada por el río. Pero la tierra ayudó a la mujer. La tierra abrió su boca y sorbió lo que el dragón había arrojado de su boca" (Apoc. 12:15,16).

Tierra y agua

¿Agua? En las profecías bíblicas, el agua es símbolo de gente, de pueblos (véase Apoc. 17:15). La serpiente –el dragón– arrojó "un Diluvio" de agua tras la mujer. Un Diluvio de personas. Y la única clase de personas que podían salir de la boca del dragon eran gente mala.

Pero "la tierra" absorbió este Diluvio de persecución llevado a cabo por gente mala. Si el agua es símbolo de mucha gente, entonces por contraste, "la tierra" es símbolo de un área relativamente despoblada.

No solamente encontraron refugio estos fieles seguidores de Dios durante la peor de las persecuciones, en las remotas montañas, sino que antes de que terminaran los 1,260 años, incontables millones huyeron de la opresión religiosa en busca de un camino hacia un Nuevo Mundo casi despoblado.

Al comenzar los 1,260 años, la iglesia Romana investida de un poder otorgado, comenzó a imponer en forma agresiva sus creencias y prácticas, buscando someter al mundo entero bajo su dominio. Para ello, echó mano de la persecución, la cual duró siglos.

Pero la cadena inquebrantable de fieles y leales permaneció irrompible a pesar de todo. A través de los siglos de oscuridad, algunos nunca abandonaron a Dios o su verdad. Nunca transigieron con el error. Nunca negaron su fe a fin de salvarse.

Entre ellos, consideremos la dramática historia de los Albigenses y Valdenses. ¿Una mujer en el desierto? Nada más cierto que lo que pasó con estos fieles creyentes, quienes huyeron a las elevadas montañas de Europa para escapar de la persecución desatada por la iglesia Romana. En el capítulo siguiente, relataremos la historia de otro grupo de fieles –los hugonotes– quienes se mantuvieron firmes por la verdad en tiempos de la Reforma.

Los albigenses

A principios del siglo XII, un grupo de cristianos con mentalidad orientada hacia la reforma se separaron de la Iglesia Católica Romana, los cuales no podían traicionar su conciencia, ni aceptar o creer en las muchas doctrinas antibíblicas de la iglesia.

Este grupo de creyentes, conocido como albigenses (por el nombre de un pueblo llamado Albi, en el sur de Francia, situado a casi 35 kilómetros al norte de la actualmente llamada ciudad de Toulouse), predicaban en contra de las enseñanzas católicas tales como el sacerdocio, la adoración de los santos e imágenes, y la supremacía papal por encima de la Biblia. Por el año 1,167 d. C. los albigenses constituían una mayoría de la población del Sur de Francia.

¿Creyeron y enseñaron los albigenses cada verdad y doctrina de la Iglesia Adventista del Séptimo Día? No. ¿Tuvieron aun algunas creencias que nosotros no aceptamos hoy? Sí. Pero amaban a su Señor, a un grado tal que escogían la muerte, antes que ser desleales a Dios.

Temiendo que los albigenses fueran una amenaza para el poder y control de la Iglesia Católica, reaccionó con saña y crueldad. En el año 1,208, el Papa, llamado irónicamente Inocencio III, ordenó una cruzada de exterminación en contra de los así llamados "herejes". Los ejércitos del Papa marcharon y entraron en territorio albigense, y pueblos enteros fueron masacrados. La matanza sistemática de estos creyentes continuó por décadas, y a veces se intensificaba cuando la iglesia ordenaba una serie de inquisiciones papales: las campañas eran aun más agresivas y violentas, pues se usaba la tortura y la muerte a fin de exterminar a los enemigos de la iglesia".

La campaña papal fue todo un éxito, y en cien años, los albigenses fueron completamente exterminados. Hasta el último de ellos, permaneció fiel a la verdad y su conocimiento de la Palabra de Dios. Permanecieron firmes en su oposición a la falsa doctrina papal y a las prácticas paganas de la Iglesia.

Los valdenses

A principios del año 1170 d.C., Pedro Waldo, un rico comerciante de la ciudad de Lyon, Francia, organizó un grupo de creyentes que, al principio, llegaron a ser conocidos como los hombres pobres de Lyon: miembros laicos de la Iglesia Católica que siguieron a su líder al regalar sus propiedades, creyendo que la pobreza apostólica era la senda del crecimiento cristiano.

En 1179, fueron a Roma, en donde el Papa Alejandro III los bendijo, pero les prohibió predicar, a menos que estuvieran autorizados por la clerecía local. Pero los valdenses (o Vaudois, como fueron también conocidos en el idioma francés) desobedecieron a Roma y comenzaron a predicar las verdades que habían descubierto en la Biblia.

Proclamaron la Sagrada Escritura como su sola regla de fe y práctica en la vida; predicaron en contra de las falsas doctrinas de la Iglesia Católica como el purgatorio, la infalibilidad papal, la misa y las indulgencias.

En 1184, fueron declarados formalmente herejes por el Papa Lucio III, que más tarde fue confirmado por el IV concilio de Letrán en 1215. Pero ya en 1211, más de ochenta valdenses habían sido quemados como heréticos en Estrasburgo… el comienzo de muchos siglos de persecución.

En 1487, el Papa Inocencio VIII lanzó una brutal persecución para destruir a los valdenses. Los valdenses de Dauphiné fueron vencidos, pero los creyentes del Piamonte se defendieron con éxito.

Tanto la iglesia como el gobierno de Francia, unidos en cruel alianza, continuaron la persecución de los valdenses, muchos de los cuales huyeron a los Alpes suizos. Finalmente, en 1848, el rey Carlos Alberto de Saboya les concedió a los valdenses plena libertad civil y religiosa. Poco después, un contingente de valdenses emigró a Carolina del Norte en los Estados Unidos.

"Entre las causas principales que motivaron la separación entre la verdadera iglesia y Roma –escribió Elena de White– se contaba el odio de ésta hacia el sábado bíblico. Como se había predicho en la profecía, el poder papal echó por tierra la verdad. La ley de Dios fue pisoteada, mientras que las tradiciones y costumbres de los hombres eran exaltadas. . . Durante siglos de oscuridad y apostasía, hubo valdenses que negaron la supremacía de Roma, que rechazaron como idolátrico el culto a las imágenes y que guardaron el verdadero día de reposo. Conservaron su fe en medio de la más violenta y tempestuosa oposición" (*El conflicto de los siglos*, p. 70).

"Tras los elevados baluartes de sus montañas, refugio de los perseguidos y oprimidos en todas las edades, hallaron los valdenses seguro escondite. Allí se mantuvo encendida la luz de la verdad en medio de la oscuridad de la Edad Media. Allí los testigos de la verdad conservaron por mil años la antigua fe".

El número de valdenses que murieron por su fe jamás se sabrá. Algunas fuentes estiman, en forma conservadora, que sólo entre los años 1540 y 1570 murieron 900,000.

"Las persecuciones que por muchos siglos cayeron sobre esta gente temerosa de Dios fueron soportadas por ella con una paciencia y constancia que honraban a su Redentor. No obstante las cruzadas lanzadas contra ellos y la inhumana matanza a que fueron entregados, siguieron enviando a sus misioneros a diseminar la preciosa verdad. Se los buscaba para darles muerte; y con todo, su sangre regó la semilla sembrada, que no dejó de dar fruto" (*Ibíd.*, p. 84).

Para una historia más detallada de los valdenses, lea detenidamente el capítulo 4 del libro El conflicto de los siglos. No existe otra fuente más inspiradora que refuerce la determinación a mantenerse de parte de la verdad venga lo que venga.

La mujer se fue al desierto por 1,260 largos y oscuros años, siglos de la más terrible persecución jamás vista en contra de los fieles de Dios.

Amigo lector, ¿cuántos de nosotros tenemos un amor por Cristo y su verdad, que sea tan fuerte que no pueda ser rota por la persecución, la tortura y la misma muerte? ¿Cuántos de nosotros estamos preparados para mantenernos leales a nuestro Salvador, no importa lo que venga?

Aquí en la tierra –en esta vida– sucede, a veces, que un hombre y una mujer se enamoran con tan profundo amor, que sin dudar darían su vida el uno por el otro si fuese necesario. ¿Estamos cultivando esa clase de relación con Jesús cada día, que sea capaz de encender un amor tan fuerte, que si fuese necesario daríamos nuestra vida por él en un instante? ¿Daríamos nuestra vida por él sin dudar, así como él la dio por nosotros?

Soportando la prueba

Hoy podríamos mantenernos de parte de la verdad y de Jesús, el autor de la verdad, en relativa paz. Pero viene un tiempo –más pronto de lo que nos imaginamos– cuando, mantenerse de parte de Jesús, será invitar a la ira irrazonable de los que se oponen a él.

¿Estamos profundizando cada día nuestro compromiso con nuestro Señor? ¿Estamos construyendo una voluntad capaz de soportar cualquier presión externa o interna, y a rendirnos a fin de salvarnos? Recuerde, sin embargo, la gracia de un mártir no es necesaria hasta, o a menos que, tengamos que hacer una decisión. Éste es el tiempo de fortalecer el amor y nuestra entrega y sumisión a él. Si Dios llama a cualquiera de nosotros a hacer un último sacrificio como muchos de los albigenses y valdenses lo hicieron, él entonces, y sólo entonces, nos dará gracia suficiente.

Si usted está profundamente enamorado de su pareja aquí en la tierra, y si es padre de un niño, sabe que si fuere necesario morir por ellos, sería un privilegio y un honor hacerlo. Lo mismo será cierto para cualquiera cuyo amor por su Creador fluya muy profundamente, de modo que no se pueda expresar en palabras.

> *Dios ha tenido siempre un pueblo fiel y leal*
> *—los llamados, los escogidos—, y todavía tiene un*
> *pueblo especial hoy.*

CAPÍTULO 9

"HEME AQUÍ"

Ha perdido alguna vez su cartera o bolsa? Puede que sí. Y puede que cuando esto sucede, la gente trate de animarlo diciendo:

–¿Dónde la viste por última vez?

–Bueno, de hecho no le salieron piernas para irse.

–No te preocupes, el viento no pudo habérsela llevado.

Es probable que en ese momento no considere útiles estos comentarios. Sin embargo, son ciertos. Nunca en toda la historia del mundo a una cartera le han salido piernas para salirse por la puerta, ni una sola vez. Tampoco nunca una bolsa de mano se ha evaporado para convertirse de sólido en gas. ¡Jamás!

Lo que significa que cuando algo se pierde, todavía existe, está en alguna parte. Necesita ser hallado… ser encontrado.

Los buzos buscan tesoros perdidos en barcos hundidos con cuantiosas cargas de oro y joyas. Los buscadores de tesoros excavan las minas de oro que se han perdido, o las inmensas riquezas que han quedado sepultadas, las cuales se marcan con una "X" en el mapa. La policía busca a niños extraviados. Los restauradores de pinturas quitan las capas dañadas de obras maestras a fin de recuperarlas. Aventureros y exploradores que andan en busca de arcas perdidas: ya sea el arca de Noé o el arca del pacto.

Las cosas extraviadas, están en alguna parte. Lo único que se necesita es encontrarlas.

El mayor tesoro que este mundo jamás haya conocido, no es el manto sagrado, las minas del rey Salomón, o algún campo todavía no descubierto donde existan diamantes del tamaño de una pelota de béisbol. El mayor tesoro que jamás haya estado presente sobre la tierra fue el mismo Creador: Cristo Jesús. Y cuando se fue, dejó a sus seguidores un tesoro invalorable, el cual podrían gozar y compartir con otros: su Verdad.

Pero, con el paso de los años, este precioso tesoro recubierto con capas de error, y ello no sucedió accidentalmente, fue la obra deliberada del más grande enemigo de Cristo, quien se ha infiltrado en la iglesia, propiedad de Cristo, y ha hecho que ésta se comprometa, falsifique y pisotee la verdad pura que una vez le fue dada.

Con el correr del tiempo, cada verdad de la Palabra de Dios fue sepultada bajo las capas del error: la falsedad, las tradiciones y las mentiras:

- La verdad de la salvación como un don gratuito, fue reemplazada por la falsa enseñanza de la salvación mediante el esfuerzo humano.
- La verdad del acceso al Padre únicamente mediante Jesús, fue sustituida por la doctrina de la mediación sacerdotal humana.
- La autoridad de la Biblia, fue reemplazada por la autoridad del Papa y la tradición humana.

- El perdón de pecados ya no fue más un don que se recibe gratuitamente, sino algo que debe ser pagado o ganado.
- El sábado, como día de descanso, fue sustituido por el domingo: un día escogido por el hombre.
- La confesión únicamente a Dios, fue reemplazada por la confesión al sacerdote.
- La Biblia, como un regalo de Dios para todos, fue prohibida su lectura y llegó a ser propiedad de los líderes de la Iglesia.
- Aun los diez mandamientos de la ley de Dios fueron cambiados, a fin de que se adaptaran a una iglesia que había perdido el rumbo.

Además, una hueste de enseñanzas y prácticas no bíblicas fueron expuestas como "verdad", tales como la misa, la transubstanciación –la supuesta transformación de los elementos de la comunión (el pan y el vino) en el cuerpo y la sangre literales de Cristo–, las oraciones por los muertos, la veneración a María y a los santos "vicarios" y a ídolos e imágenes como sagrados.

Recuerde que el mensaje más importante de este libro es que Dios siempre ha tenido sus fieles y leales seguidores. En cada época, desde el Edén, cuando Satanás ha hecho lo mejor que ha podido para esconder, falsificar o encubrir la verdad, Dios siempre ha contado con aquellos que han escogido creer la verdad, vivir la verdad y compartirla sin importar el precio.

Ya fuesen los patriarcas que siguieron después de Adán, los fieles de Israel, los cristianos de la iglesia primitiva, o los que –como los albigenses y valdenses, según lo notamos en el capítulo anterior– se mantuvieron de parte de la verdad a costa de su propia vida. Dios siempre ha contado con una cadena irrompible de fieles.

En las horas más oscuras de la Edad Media, Dios halló valientes y leales que pusieran en alto la verdad pisoteada y sacarla de nuevo a la luz.

Un mensaje en el tablero

Todo comenzó con un mensaje puesto en el boletinero del plantel de una universidad en Alemania.

En aquellos años, las puertas de la iglesia universitaria servían a veces como el boletinero oficial para todo el campus. El 31 de octubre de 1517, los que se detuvieron a mirar la puerta de la iglesia, hallaron en ella un documento clavado por un sacerdote católico y profesor de la universidad. Ese documento cambiaría la historia, pues las 95 Tesis de Martín Lutero –clavadas en la puerta de la iglesia del Castillo de Wittenberg– confrontaban directamente el error con la verdad bíblica, e inauguraban la Reforma Protestante.

Aunque la historia toma las 95 Tesis de Lutero como el comienzo de la Reforma Protestante, las verdades que dicho movimiento defendió fueron anunciadas un siglo antes o más por Juan Wiclef. Aun cuando él murió cien años antes del nacimiento de Martín Lutero, fue más tarde conocido como el "Lucero de la Reforma", debido a sus claras enseñanzas y la predicación de la verdad bíblica. La influencia de Wiclef en reformadores posteriores tales como Lutero, fue profunda, y fue conocido como el primero en publicar la Biblia en el lenguaje común de los hombres y las mujeres.

Un estudiante, seguidor de Wiclef, Juan Hus, tuvo también un enorme impacto sobre los reformadores posteriores. Él enseñó casi todas las verdades que Lutero y otros, más tarde, harían la piedra angular de sus esfuerzos por reformar a una iglesia que, por siglos, había sepultado la verdad divina bajo escombros de tradiciones y errores.

Hus se opuso, sin temor alguno, a una gran variedad de errores de la iglesia, incluyendo la venta de indulgencias que no eran sino el pago de cuotas, o donaciones, a fin de asegurarse el perdón de los pecados. La Iglesia catalogó a Hus de hereje, y en el año 1411, fue excomulgado de la Iglesia. Pero continuó enseñando la verdad bíblica, oponiéndose al error de la iglesia, hasta que al fin en el año 1415, la iglesia lo condenó a la hoguera. Jerónimo de Praga, un amigo y seguidor suyo, tendría la misma suerte casi un año después.

Comienza la Reforma

Estos líderes anteriores a la Reforma pusieron las bases para el gran movimiento que habría de seguir. Cuando Lutero vio claramente el contraste entre la verdad y el error en 1517, dio comienzo a la Reforma, a su gran movimiento. Pero, muy pronto, Lutero sería excomulgado de la Iglesia. Asistido por la imprenta recientemente inventada, el movimiento se extendió con rapidez en Suiza. La obra de Lutero fue difundida, al unírsele Ulrico Zwinglio, el teólogo francés; Juan Calvino, juntó los cabos de este movimiento en Suiza, Escocia, Alemania y otros lugares de Europa. Por su parte, Erasmo ejerció mucha influencia en Lutero. Y, aunque permaneció como miembro de la Iglesia Católica hasta el fin de su vida, por escrito combatió los errores de ésta en forma magistral.

Un momento clave para la Reforma tuvo lugar en el año 1521, cuando el 16 de abril, el Emperador Romano Carlos V, en contubernio con el Papa, citó a Lutero a la Dieta (Asamblea) en la ciudad de Worms, Alemania.

Juan Eck, asistente del arzobispo local, llamó la atención de Lutero a una mesa sobre la cual estaban copias de sus escritos. Eck le preguntó a Lutero si esos libros eran suyos, y si todavía creía lo que allí había escrito.

Lutero pidió que se le concediera tiempo antes de contestar a la pregunta, lo cual le fue concedido. Lutero meditó, oró, y consultó con sus amigos. Al día siguiente, se presentó ante la Dieta.

Eck pidió a Lutero que respondiera a la siguiente pregunta: "¿Se retracta usted de estos escritos y los errores que ellos contienen?"

La respuesta de Lutero debería ser un desafío y motivo de orgullo para cada uno de nosotros que aspiramos a mantenernos firmes de parte de las verdades que Dios nos ha dado:

"A menos que se me convenza con Las Escrituras y mediante la razón –contestó Lutero–, no puedo aceptar la autoridad de los papas y de los concilios, pues ellos mismos se contradicen. Mi conciencia está cautiva a la Palabra de Dios. No puedo, y no podré retractarme de nada, pues esto sería ir en contra de la conciencia, lo cual no es correcto ni seguro. Aquí estoy. No puedo hacer otra cosa. Que Dios me ayude. ¡Amén!"

Unos días después, la Dieta publicó un edicto declarando que Lutero era un hereje y que estaba fuera de la ley. Ya para entonces, Lutero había sido secuestrado por sus amigos y llevado a un lugar seguro, el castillo de Wartburgo. Mientras estaba allí, el reformador tuvo la oportunidad de comunicarse mediante cartas, y de aconsejar a su amigo y aliado, Felipe Melanchthon. Éste sería uno de los muchos que ayudarían a Lutero a traducir la Biblia al alemán, para que la gente común tuviera acceso a ella.

Esta traducción de 1534, tuvo profunda influencia en William Tyndale, quien después publicó una traducción al Inglés del Nuevo Testamento. La obra de Tyndale, a su vez, sería el fundamento para el desarrollo de la Versión de la Biblia del Rey Jacobo, unas décadas más tarde.

De hecho la Biblia, mantenida bajo llave y alejada del pueblo por siglos, estaba una vez más desencadenada. Por lo tanto –el pueblo pudo ver la verdad en contraste con los errores enseñados por la Iglesia–, la obra de la Reforma pudo seguir adelante.

Lutero, el gigante de la Reforma, continuó la tarea hasta su muerte en 1546; gracias a él, fue posible recuperar y restaurar las verdades eternas perdidas.

Lutero, Calvino, y otros líderes de la Reforma, hicieron a un lado siglos de mentiras y de enseñanzas falsas a fin de sacar a la luz las verdades puras que Jesús había originalmente encargado a la iglesia primitiva, la iglesia apostólica.

Pero la Reforma, con el tiempo, perdió su impulso, y mucha de su pasión original se desvaneció. Antes que todas las verdades bíblicas perdidas fuesen rescatadas y restauradas, las iglesias reformadas perdieron de vista su misión y se ocuparon mayormente de asuntos organizacionales y discusiones sobre sus diferencias.

Lamentablemente, fue demasiado tarde para restaurar otras grandes verdades extraviadas, incluyendo las verdades acerca del sábado, la Segunda Venida de Jesús, y la obra de Cristo como nuestro intercesor y la verdad acerca de la naturaleza del hombre y el estado de los muertos.

Sardis

De las siete iglesias descritas en el libro de Apocalipsis, la iglesia de los tiempos de la Reforma es la iglesia de Sardis. Nótese lo que Dios le escribe a esta iglesia:

"Escribe al ángel de la iglesia de Sardis. El que tiene los siete espíritus de Dios, y las siete estrellas, dice esto: Yo conozco tus obras, que tienes nombre de que vives, y estás muerto. Sé vigilante, y afirma las cosas que están para morir; porque no he hallado tus obras perfectas delante de Dios. Acuérdate, pues, de lo que has recibido y oído, y guárdalo, y arrepiéntete. Pues sin velas, vendré sobre ti como ladrón, y no sabrás a qué hora vendré sobre ti. Pero tienes unas pocas personas en Sardis que no han manchado sus vestiduras; y andarán conmigo en vestiduras blancas, porque son dignas. El que venciere será vestido de vestiduras blancas; y no borraré su nombre del libro de la vida, y confesaré su nombre delante de mi Padre y delante de sus ángeles" (Apoc. 3:1-5).

Debo decir, nuevamente, que no es posible en este capítulo hacer una detallada exposición del mensaje a la iglesia de Sardis. Pero note el lector por lo menos dos cosas:

Dios les dice:"Tienes nombre de que vives, pero estás muerto". La iglesia parecía estar viva. Esto se veía en servicios constantes, un dominio tanto en el mundo religioso como en el político; un sacerdocio numeroso, grandes riquezas y edificios muy bien adornados. Pero espiritualmente, hacía tiempo que habían muerto.

Luego, note esto: "Tienes unas pocas personas en Sardis que no han manchado sus vestiduras, y andarán conmigo porque son dignas".

Unos pocos. Los que nos se han ensuciado. Los dignos. Sí, los pocos, los mismos, los que hemos estado siguiendo a través del tiempo. Los contados que han permanecido fieles a Jesús y a su verdad, pasara lo que pasara.

Estos pocos, por su puesto, fueron hombres como Juan Hus, Jerónimo de Praga, Lutero y muchos otros que, sin ambages, se pararon firmes en contra del error y proclamaron la verdad, sin que importara el costo. También incluía a una hueste de creyentes casi olvidados, no destacados, quienes no fueron menos valientes que aquéllos.

Entre éstos se hallan los hugonotes de Francia y Suiza, quienes respondieron con entusiasmo al llamado de Lutero y de Calvino a reformarse. Éstos creían de todo corazón en las enseñanzas básicas de la Reforma como la salvación por medio de la fe, la autoridad de la Biblia, y el directo acceso a Dios mediante Cristo, y no a través de lo sacerdotes humanos.

Decididos en su oposición a la Iglesia Católica y a sus enseñanzas y prácticas, los hugonotes pronto sintieron la ira de la persecución. Las guerras religiosas de Francia en contra de los hugonotes, comenzaron con una masacre en el mes de marzo de 1562, en la cual un número desconocido de personas fueron muertas.

Ese holocausto llegó a conocerse como la matanza de San Bartolomé, que duró desde el 24 de agosto hasta el 17 de Septiembre de 1572. La matanza comenzó en París y se extendió a los pueblos vecinos, siendo asesinados una cantidad estimada de 70,000 hugonotes. La persecución continuó hasta 1598 cuando Enrique IV, el nuevo rey de Francia, les concedió libertad religiosa y política, pero sólo en su propio territorio.

En las décadas del año de 1600, muchos hugonotes emigraron a Sudáfrica, así como a las trece colonias de Norteamérica. Entre estos inmigrantes estaba un platero de nombre Apolo Rivoire, quien dio a su hijo su nombre y su profesión angloestilizados –Paul Revere–, el afamado revolucionario americano.

Hoy, al leer estos capítulos, gozamos el privilegio de vivir y enseñar nuestra fe en una atmósfera de completa libertad. Pero, también vivimos en un mundo cambiante ante nuestros propios ojos. Un mundo donde las libertades personales parecen estar en riesgo por causa de la seguridad nacional.

No siempre tendremos las libertades que hoy disfrutamos, y que las hemos llegado a dar por sentadas. El tiempo se acerca cuando de nuevo la oposición, y aun la persecución, se volverán a levantar.

¿Estaremos nosotros entre esos pocos fieles?

La mejor manera de conocer la respuesta es estar seguros de nuestra fidelidad ahora. ¿Está nuestra fe enraizada en principios sólidos y en el compromiso… o, ¿es un asunto de conveniencia?

¿Es nuestra lealtad únicamente a una serie de verdades, o somos principalmente leales a la Verdad? Jesús dijo: "Yo soy el camino, la verdad y la vida" (Juan 14:6).

Si amamos la Verdad, amaremos la verdad.

Si somos leales a la Verdad, seremos leales a la verdad.

La pregunta decisiva es: ¿Tendremos miedo a la posibilidad de una persecución? Y cuando venga –como ha de venir–, ¿no daremos más bien la bienvenida a la oportunidad de mantenernos leales a Jesús, como el mayor de los honores y privilegios?

> *Dios ha tenido siempre un pueblo fiel y leal*
> *–los llamados, los escogidos–, y todavía tiene un*
> *pueblo especial hoy.*

CAPÍTULO 10

DE LAS CENIZAS AL TRIUNFO

No importa cuán larga sea la carrera de relevos –no importa cuántos sean los corredores–, una cosa permanece, la misma desde el principio hasta el mismo fin: la antorcha. Desde el primer corredor, hasta el último, la antorcha pasa de una mano a otra.

Desde el primero, Adán, la antorcha ha sido llevada a través de los siglos por una sucesión de leales, y llegará seguramente a su destino cuando la larga carrera termine al venir Jesús por segunda vez.

¿Qué simboliza la antorcha? Es la Buena Nueva: Jesucristo y su verdad, aquella que él compartió con el mundo durante su corta vida, y que continúa compartiendo a través de su Palabra.

De un siglo a otro, la antorcha pasó

- De Adán y los patriarcas del Antiguo Testamento… a Israel y sus profetas.
- De Israel… a la iglesia cristiana primitiva.
- De la iglesia primitiva… a la iglesia de la larga Edad Oscura.
- De la iglesia en el desierto… a los valientes líderes de la Reforma.

- De los reformadores… a los dirigentes del Gran Movimiento del Segundo Advenimiento.

La Reforma Protestante sacó de nuevo a la luz verdades por mucho tiempo olvidadas y deliberadamente suprimidas. Denunció a una iglesia que se había vendido al enemigo, reemplazando la verdad por el error y las mentiras, y enfrentando a los que rehusaban someter su lealtad a Dios para salvarse.

Hombres dedicados fueron los que ayudaron a pasar la antorcha de la verdad durante la Reforma, haciéndola progresar: hombres como Lutero, Zwinglio, Calvino y Melanchthon. Pero también lo hicieron miles de otros fieles cuyos nombres nadie conoce.

Pero, veamos por unos momentos el asunto de los túneles. Hoy en día el túnel más largo del mundo es el que une las islas de Honshou y Hokkaido en el Japón. Es una vía férrea de casi 50 kilómetros de longitud. Por otra parte, se está construyendo el túnel de la Base Gotthard, en Suiza, y se ha programado terminarlo el 2012, y tendrá una extensión de 56 kilómetros de longitud.

Imagínese el lector que entra en un túnel que empieza en Chicago, Illinois, en los Estados Unidos y maneja bajo tierra hasta Miami, en la Florida, una distancia de 1,897 kilómetros, y no sale sino hasta llegar a Miami. Ahora, imagínese un túnel de 2,016 kilómetros de longitud. Un túnel oscuro, peligroso, lleno de cavernas infestadas de bandoleros y asaltantes.

En el año 538 d.C., los verdaderos seguidores de Dios entraron en un túnel cuya longitud no se mide en kilómetros ni en millas, sino en años; un túnel a través del tiempo por 1,260 años. Un túnel de opresión y persecución llevada a cabo por la Iglesia Católica dominante y apóstata. Un túnel conocido como la Edad Oscura, donde sólo la Palabra de Dios podía alumbrar el camino.

Pero en el año 1798 d.C., el poder papal llegó a su fin, cuando el papa de Roma fue capturado por el general francés, Berthier, un hecho descrito en Apocalipsis 13:3. como "la herida de muerte".

Desde 1517, cuando Lutero clavó sus 95 Tesis en la puerta de la iglesia del Castillo de Wittenberg, hasta 1798, la Reforma avanzó… fue una época de recuperación de las verdades por mucho tiempo olvidadas y suprimidas.

Pero, aun cuando la Reforma perdió mucho de su impulso original por las arenas del institucionalismo y del denominacionalismo, en Europa como en América, algunos humildes continuaron escudriñando la Palabra de Dios a fin de profundizar más en el conocimiento de la verdad.

Y el mayor tesoro que emergió de esta búsqueda ocurrió a tiempo. Pues en sólo una cuantas décadas, un gran movimiento sacudió el mundo, ya que éste estaba centrado en las electrizantes nuevas de que, según la Palabra de Dios, la segunda venida de Jesús estaba cerca.

Allende el Atlántico, desde Europa hasta América, veintenas de eruditos en asuntos proféticos llegaron a la misma conclusión, y el Gran Movimiento del Segundo

Avenimiento se difundió en las iglesias con resultados asombrosos.

Pero en los Estados Unidos, el personaje central de este movimiento no fue un erudito preparado en el mejor seminario del mundo. No fue un pastor famoso e influyente de alguna iglesia de una gran ciudad. Más bien fue un hombre que empezó su propio viaje espiritual con una visión reducida y …sí limitada de Dios.

El joven deísta

Nacido en un hogar cristiano, Guillermo Miller siendo aún joven, abandonó su fe primigenia a favor del deísmo: la filosofía religiosa que afirma que Dios es básicamente un señor feudal ausente, que al principio echó el mundo a andar como un reloj, y luego fue abandonándolo a su propia suerte. Un Dios así, dice el deísmo, no tiene interés personal en su creación y, ciertamente, nunca hará milagros.

Cuando su tío y su abuelo, ambos clérigos bautistas, le visitaban ocasionalmente para trabajar en su favor respecto a sus creencias, Guillermo, divertía después a sus amigos burlándose de sus parientes.

Mas, después de un encuentro serio con la muerte, mientras servía en la guerra de 1812, Guillermo comenzó a revisar sus creencias deístas. Regresó al hogar de su niñez en Low Hampton, en el Alto Nueva York, y se dedicó a la vocación que nueve de cada diez personas compartían en los Estados Unidos por ese tiempo: la agricultura. Sus dudas acerca del deísmo se profundizaron, y su hambre de paz y de un Salvador personal creció con mayor intensidad.

Al escudriñar su Biblia, encontró al Salvador que andaba buscando. Pero ahora, así como él se había burlado de su tío y de su abuelo, sus amigos incrédulos se burlaban de él, asegurándole que la Biblia estaba llena de contradicciones.

"Si la Biblia es la Palabra de Dios", respondía Guillermo, "todo lo que contiene se puede entender, y todas sus partes se pueden armonizar. Dénme tiempo y yo armonizaré las aparentes contradicciones, o continuaré siendo un deísta".

La Biblia y una concordancia

Los adventistas sabemos lo que pasó después. Miller hizo a un lado todo libro de su biblioteca excepto la Biblia y la Concordancia de Cruden, y comenzando desde el Génesis, capítulo 1, empezó a trazar su recorrido a través de las Escrituras. Decidió no avanzar tan rápido a fin de poder resolver cualquier problema o aparente contradicción que encontrara en su camino. Su método consistió en que la Biblia se explicara a sí misma.

Una tras otra, las aparentes inconsistencias de la Escritura iban resolviéndose y aclarándose. En cada capítulo, Miller halló que su amistad con Jesús se hacía más fuerte y profunda. Avanzaba versículo tras versículo, hasta que un día llegó a un pasaje que captó su atención por el resto de su vida… comenzando así un movimiento que, igualmente, captaría la atención de la todavía naciente nación americana con sólo diecisiete millones de habitantes.

El gran tema de estudio y análisis de Miller fue Daniel

8:14: "Hasta dos mil y trescientos días; el santuario será purificado".

Su pasión se transformó en una actividad agotadora que lo llevaba a pasar noches enteras sin dormir. Comparando escritura con escritura, descubrió que cuando se habla de tiempos proféticos, un día en la Biblia es igual a un año. Así que, los 2,300 días eran igual a 2,300 años. Estudios posteriores de Daniel capítulos 8 y 9 llevaron a Miller a concluir que los 2,300 años comenzaron en el año 457 a.C., lo que significaba, según sus cálculos, que este período terminaría en 1843… a escasos 25 años en el futuro.

Y la limpieza del santuario, concluía Miller, era el retorno personal de Jesucristo a la tierra en su Segunda Venida. En su interior Miller escuchaba una voz que le decía: "Ve y dilo al mundo".

Por cinco años más, Miller evadió este llamado interior, dedicándose a estudiar más profundamente sus descubrimientos, constatando una y otra vez las conclusiones a que había llegado. Cuando estos años de estudio e investigación pusieron a un lado sus dudas, un nuevo problema surgió: el miedo a hablar en público. Por otros ocho años, Miller resistió el llamado interior que sentía para compartir mediante la predicación sus descubrimientos. Pero esa voz interna crecía y se hacía más insistente e irresistible.

Así, pues, un sábado de mañana Miller hizo un trato con Dios pensando que así se libraría de la carga que sobre él pesaba. "Oh Dios" oró, "quiero hacer un pacto contigo. Si me invitas a predicar sobre este mensaje, entonces iré".

Con gran alivio en su alma, Miller se arrellanó en su sillón. Nadie le pediría a un ranchero inculto de 50 años que predicara sobre la segunda venida de Cristo.

¡Falso! Alguien estaba realmente por hacerlo.

No habían pasado treinta minutos, cuando un toque fuerte a la puerta hizo levantar a Miller de su sillón.

–¡Buenos días!, tío Guillermo –dijo el muchachito en la puerta.

– Sobrino Irving –exclamó Miller–, ¿qué andas haciendo a 25 kilómetros de tu casa tan temprano en la mañana?

– Tío, Guillermo, salí antes que sirvieran el desayuno para decirle que el pastor bautista de Dresden no puede predicar en el culto de mañana. Mi papá me envió para hacerle una invitación. Él quiere que usted venga a hablarnos acerca de las cosas que ha estado estudiando en la Biblia, lo que usted cree acerca de la segunda venida de Cristo. ¿Vendrá, tío?

Lucha en el bosquecillo de maples

Miller giró sobre sus talones sin decir una palabra, dejando a Irving parado en la puerta y en completa confusión. Azotando la puerta, Miller salió rumbo al bosquecillo de Maples cercano. Allí, por una hora, luchó con Dios, no con menos fuerza que cuando Jacob peleó con el ángel, según el relato del Antiguo Testamento.

Miller estaba enojado consigo mismo por el convenio que había hecho con Dios. Se sentía como petrificado.

Rogó, suplicó a Dios que enviara a alguien, pero no a él. Finalmente, después de derramar lágrimas de angustia, se rindió a Dios… y el rendirse le trajo paz y felicidad. Tan lleno de gozo estaba que saltaba de alegría alabando y glorificando a Dios. Su hijita Lucy Ann, que lo observaba ansiosa desde la puerta, entró a la casa gritando: "Mamá, mamá, ven pronto".

Al poco rato, Irving y Miller estaban en camino rumbo a Dresden. Tan impactada quedó la gente del lugar que persuadieron a Miller a predicar todas las noches por una semana.

Desde el mismo principio, otras invitaciones le llegaron de parte de algunos que habían oído sus mensajes en Dresden. De casi cada denominación, le llegaron pedidos urgentes como una continua y creciente avalancha.

Dondequiera Miller predicaba, se producían reavivamientos. Pueblos enteros eran transformados por sus alarmantes noticias de que la segunda venida de Jesús estaba muy cerca. Por ocho años se mantuvo Miller predicando en forma constante de un pueblo a otro. Luego, en el otoño de 1939, después de una reunión en Exeter, New Hampshire, conoció a un joven que cambiaría el curso de su ministerio.

Josué V. Himes, a la sazón, tenía 39 años de edad, pero ya era conocido por su oposición pública a la esclavitud, al alcohol, y a la guerra. Después del culto en Exeter, Himes se presentó e invitó a Miller a predicar en su iglesia, en la calle Chardon, en Boston, Massachussets.

Sucedió entonces que el 8 de diciembre de 1839, Miller predicó su primera serie de sermones en una gran ciudad de la unión americana en dos turnos por día, pero la gente tenía que irse por no haber cabida.

–¿Cree usted en verdad lo que nos ha estado predicando? –le preguntó Himes a Miller cierta noche.

–¡Claro que sí!, hermano Himes. Si no, no lo predicaría.

–Y entonces, ¿qué está haciendo para darlo a conocer al mundo?

Cuando Miller le respondió que había hecho todo lo que podía para alcanzar a las aldeas y los pueblos pequeños a los cuales había sido invitado a predicar, Himes quedó asombrado.

–¡A las aldeas y pueblos pequeños! ¿Pero qué de las grandes ciudades? ¿Qué de Baltimore, Nueva York y Filadelfia? ¿Qué de los diecisiete millones de ciudadanos de los Estados Unidos? Si Cristo viene en unos cuantos años como usted lo cree –le dijo Himes–, entonces no hay tiempo que perder; hay que enviarles mensajes tronantes a fin de despertarlos para que se preparen.

Himes, iluminado con una visión por lo que se necesitaba hacer, llegó a ser el facilitador, planificador y organizador de las campañas de Miller. Rápidamente orquestó compromisos para el predicador en las grandes ciudades del país, y pronto el nombre de Miller era conocido en todas partes.

Himes convenció a los pastores de su propia denominación (la Conexión Cristiana) a que cedieran sus púlpitos a Miller. En una de estas iglesias, el mensaje de Miller alcanzó a la familia de Roberto Harmon. De esa manera, su hija adolescente, Elena, entregó su vida a la esperanza adventista que había encontrado. Elena sería una futura fundadora de la Iglesia Adventista del Séptimo Día.

Como un fuego fuera de control, el movimiento se esparció. Himes, hombre enérgico, comenzó el ministerio de las publicaciones mediante el cual acompañaría a los mensajes hablados de Miller. Otros ministros se unieron al movimiento sumando sus esfuerzos. Josías Litch, pastor metodista, publicó un libro de 200 páginas sobre las conferencias de Miller. Litch, asimismo, ayudó a Carlos Fitch, pastor Congregacionalista de Boston a que se uniera. Litch y otro muy conocido metodista, llamado Apolo Hale, desarrollaron lo que llegó a conocerse como "el diagrama de 1843", en el que se resumía la línea de tiempo profética, que era central para los mensajes de Miller.

Pero el "Movimiento Millerita" había crecido mucho más de lo que un solo hombre podría organizarlo. El Gran Movimiento Adventista ahora barría las iglesias de Norteamérica como un tsunami. Los campestres y congresos congregaban a miles y miles de personas.

Miller había evitado por mucho tiempo el ser específico respecto al tiempo exacto del retorno de Cristo. Su mensaje era que Cristo regresaría "cerca del año 1843". Pero, por el mes de enero de ese año, había llegado a la conclusión, basado en un estudio adicional –y tomando en cuenta el calendario judío– que Jesús regresaría entre el 21 de marzo de 1843 y el 21 de marzo de 1844.

Cuando el año hubo pasado, y Jesús no vino, sobrevino

el primer gran chasco para el movimiento. Más tarde, en 1844, en un campestre celebrado en el mes de agosto en Exeter, New Hampshire, el movimiento tomó un nuevo impulso con los descubrimientos hechos por un ministro millerita llamado Samuel S. Snow, los cuales compartió con los asistentes presentes. Sus estudios de la profecía de Daniel sobre los 2,300 días le habían llevado a la conclusión de que Jesús vendría el día diez del séptimo mes del año judío, y que en 1844 caía el 22 de octubre, solamente dos meses más tarde.

Las electrizantes nuevas desataron un entusiasmo epidémico. La gente salió de ese campestre para esparcir al mundo el mensaje: "He aquí el esposo viene". Pronto Miller, Himes y otros líderes del movimiento, estuvieron de acuerdo que los cálculos de Snow eran correctos.

El 22 de octubre de 1844, cien mil creyentes esperaban que su Señor apareciera en las nubes. Pero cuando el día pasó, este segundo chasco fue tan desastroso que las palabras no lo pueden expresar.

El 24 de octubre, Litch le escribió a Miller: "Es un día nublado y oscuro aquí. Las ovejas están esparcidas… y el Señor no ha venido".

Las repercusiones

Después del Gran Chasco, algunos creyentes perdieron toda esperanza y abandonaron tanto el movimiento, como su compromiso cristiano, o ambos. Algunos concluyeron que nada había sucedido el 22 de octubre, que sencillamente habían mal interpretado la Escritura. Otros decían que Jesús había venido el 22 de octubre, pero en forma invisible; una venida espiritual. Otros pocos entraron en una inconsolable y gran depresión. Pero algunos pocos continuaron orando y escudriñando, convencidos de que en algún punto se habían equivocado acerca de su comprensión de la Biblia.

Como cada adventista sabe ahora, de este último grupito emergió más tarde un pequeño número de estudiosos fervientes de la Biblia, quienes concluyeron que algo, en efecto, había sucedido el 22 de octubre de 1844: que en lugar de la segunda venida de Cristo, lo que había sucedido fue la entrada de Jesús en el lugar santísimo del santuario celestial, y el comienzo de su último ministerio: de intercesión.

Hombres como Hiram Edson, O.R.L. Crossier y F.B. Hahn concluyeron que el santuario a ser purificado no era la tierra, sino el santuario en el cielo.

Pronto otros se unirían a estos hombres en su estudio y en sus conclusiones. Entre ellos un joven de la Conexión Cristiana, llamado Jaime White, la hija adolescente de la familia Harmon, Elena Harmon, ahora esposa de Jaime White, y un capitán de la marina mercante, jubilado, cuyo nombre era José Bates.

De las cenizas del amargo chasco, se levantaría el Gran Movimiento Adventista que extendería su influencia más allá de su ámbito original. De las lágrimas del desencanto, se despertó una nueva certeza basada en la Palabra de Dios que daría lugar a un pueblo, cuyo encargo sería dar el último llamado urgente al mundo de que Jesús, en verdad, está a las puertas.

De las siete iglesias del Apocalipsis, la iglesia que se extiende desde la Reforma hasta el Movimiento del Segundo Advenimiento fue la iglesia de Filadelfia: la iglesia del "amor fraternal". Pero cuando el pueblo final de Dios fue llamado a levantarse –y salir de la confusa Babilonia formada por otras iglesias– seguiría la séptima y última iglesia: la iglesia de Laodicea. Dios tendría fuertes advertencias y reproches para esta iglesia, como lo veremos en el próximo capítulo.

¿Y qué pasó con la cadena irrompible de los fieles de Dios? Lo más seguro es que durante las décadas del Gran Movimiento del Segundo Advenimiento, esta cadena estaba formada por líderes como Miller, Himes y Fitch… y un poco más tarde por Edson, los esposos White y Bates.

Sí, como siempre ha sucedido, en esta cadena están incluidos la gran hueste de fieles anónimos, los leales a la verdad, y sólo a la verdad, pasara lo que pasara.

La carrera ha sido larga. Desde Adán, la antorcha ha pasado de una mano a otra. Con el movimiento adventista, la antorcha pasa ahora a sus manos y a las mías.

Bien cabe afirmar, que nos hallamos en el último tramo de la competencia.

La antorcha que tiene en sus manos, mi amigo, empúñela firmemente. Ella ha recorrido un largo camino. En ella se ven dibujadas las huellas digitales de Adán, Noé, Daniel, José y David. Ahí están las huellas de Pablo, de Pedro y Juan, de los valdenses, de los albigenses y hugonotes, de

Lutero, Calvino, Zwinglio y Wiclef, de Miller, Himes, Edson y White.

¿A dónde la llevará, ahora que está en sus manos?

> *Dios ha tenido siempre un pueblo fiel y leal —los llamados, los escogidos—, y todavía tiene un pueblo especial hoy.*

CAPÍTULO 11

CAMPEONES DE LA VERDAD

lguna vez se ha perdido al manejar en una gran ciudad?

Claro, idealmente la manera de hallar dónde se encuentra usted ubicado, sería elevarse mágicamente por el aire lo suficiente como para mirar hacia abajo y ver el área donde se encuentra. Pero flotar por los aires para orientarse, no es realmente una opción práctica.

No habría problema, sin embargo, si usted viviera en Estados Unidos, Europa, Australia, o alguna otra área del mundo donde podría adquirir para su carro una de esas unidades GPS relativamente nuevas en el mercado. Con una unidad GPS (sistema de ubicación terrestre) no necesita elevarse por los aires, ya que una red de satélites están arriba –a 12,000 millas (19,200 km.) de altura–, y mediante triangulaciones o datos comparativos entre sí, éstos pueden precisar dónde se encuentra usted.

Con un receptor GPS en su automóvil, usted no solamente puede ver en una pantalla dónde se encuentra, sino también localizar direcciones a las que usted desee ir. Para cualquier extraviado, una unidad GPS ¡es una verdadera bendición!

A veces es posible que se pierda aun en la lectura de un libro al hojear hacia la izquierda para hallar un tópico, o hacia la derecha para buscar otro. Luego, viaja varias "millas" a través de una serie de párrafos y capítulos, y se olvida dónde comenzó y en dónde iba.

Así, pues, quizás sea tiempo de detenernos por un momento, y orientarnos de nuevo. Veamos de nuevo dónde comenzamos, dónde hemos estado, y hacia dónde vamos.

Comenzamos este libro haciendo notar que su propósito es contar una historia, la historia de los leales seguidores de Dios a través de los siglos. Estos fieles seguidores de Dios han aceptado una misión específica de parte del Señor: ser campeones de la verdad.

Y esa verdad es doble. Incluye toda la verdad que Dios ha dado a conocer mediante su Palabra, y toda la verdad enseñada y vivida por Jesús durante su vida en esta tierra. Pero hay una parte de toda esta verdad –y es la más importante de todas– la verdad acerca del carácter de Dios.

El gran enemigo dice que no podemos confiar en Dios –que Dios miente, que Dios demanda lo imposible; que es un juez vengativo, y dispuesto a quitar nuestra libertad y destruir nuestra felicidad. El enemigo dice que Dios es el responsable de todos los sufrimientos, miserias y la misma muerte sobre el Planeta Tierra–, que él tiene la culpa cuando nos suceden cosas malas en nuestra vida. El enemigo dice que si él estuviera a cargo del universo, todos viviríamos seguros y felices.

Hoy en día muchos líderes cristianos presentan a Dios ante el mundo como un ser deseoso de ejecutar juicio y destrucción sobre los pecadores. Así, si ocurre un tsunami, o un ciclón, un terremoto que destruye miles de vidas, es porque Dios está airado con los pecadores y les está lanzando sus juicios.

Pero no dude, el enemigo va mucho más allá: dice que Dios no sólo destruye a la gente por no guardar su ley (y vaya que actúan así porque es imposible que lo hagan), sino que ha hecho una ley imposible de observarse.

¿Cómo es Dios realmente? ¿Es un Dios de amor, o es un Dios de juicios severos y de destrucción? ¿Hizo una ley sabiendo que nadie la puede guardar, para luego condenarlos a muerte cuando fallan en cumplirla? ¿Nos incita mediante el cielo y la vida eterna como premios para que nos portemos bien, y luego coge la vara para castigarnos si obramos mal? Cuando nos pide que le amemos, es "¿ámame, o si no, verás?

El falsificador

Para cada verdad que Dios alguna vez haya compartido con los seres humanos, el enemigo ha creado una falacia. El pecado es letal, dice Dios. Manténganse alejados de él, o si no los va a matar. Pero Satanás afirma que no es cierto, que no moriremos, porque después de "morir", nuestra alma sigue viva. Estamos vivos, pero en otra dimensión.

El séptimo día es sábado, dice Dios. No, responde Satanás, es el domingo, el primer día de la semana.

Cuando Jesús venga, todo ojo le verá, afirma la Biblia. No, dice Satanás. Jesús va a venir en forma secreta, en un rapto, y sólo unos cuantos lo verán.

Las mentiras continúan, una tras otra. ¿Por qué? Porque la rebelión contra Dios fue total, de modo que nunca más puede decir la verdad. Sólo le queda mentir. Es demasiado tarde para retractarse.

Así que, para cada verdad que Dios ha compartido con nosotros, Satanás tiene una mentira, la enseñanza que ha sido aceptada por la gran mayoría, incluso por los profesos cristianos en la tierra.

Pero a Satanás ya no le preocupa tanto acerca de lo que Dios nos ha enseñado. Él está ahora más interesado en mentir acerca de la naturaleza y el carácter de Dios.

Pero desde el principio, Dios siempre ha tenido un pueblo, que ha rehusado aceptar las mentiras de Satanás, aun cuando éstas han sido enseñadas por los que pretenden ser seguidores de Dios. Desde el principio, el Creador ha tenido leales seguidores que no sólo se mantuvieron de parte de las verdades que Dios compartió con la raza humana, sino de parte de la Verdad que Dios otorgó a la humanidad, Aquel que se llamó a sí mismo "El Camino, La Verdad y la Vida".

Cuando Jesús estuvo en la tierra, dijo: "El que me ha visto, ha visto al Padre (Juan 14:9). Jesús, la Verdad, vino no solamente a compartir verdades con nosotros, sino a enseñar la verdad acerca de su Padre:

- Adán y los patriarcas defendieron las verdades… y la Verdad.
- Israel, los profetas y los reyes defendieron las verdades… y la Verdad.
- La iglesia primitiva defendió las verdades… y la Verdad.
- Rodeados de persecuciones y compromisos, los creyentes de los primeros siglos después de los apóstoles, defendieron las verdades… y la Verdad.
- Luchando en contra de una iglesia apóstata, los reformadores defendieron las verdades… y la Verdad.
- Los estudiosos de la Biblia después de la Reforma, tanto en Europa como en América, enfocaron su atención en la segunda venida de Jesús, y defendieron las verdades… y la Verdad.

Luego vino el amargo chasco, cuando Jesús no apareció en las nubes de los cielos como lo habían esperado. Pero de ese gran quebrantamiento espiritual que produjo el chasco, se levantaría –como lo llamó el historiador adventista Leroy E. Froom "un movimiento con destino"– un remanente final de leales a Dios que defenderán sus verdades… y a la Verdad, hasta las últimas consecuencias.

La cadena irrompible

Así, pues, en la pausa que haremos en este capítulo, para orientarnos, notamos claramente que desde el Edén en adelante, una cadena continua e irrompible de leales y fieles ha existido a través de los siglos hasta el presente. También vemos que la visión y la misión de los verdaderos seguidores de Dios nunca han cambiado. Es su tarea defender y compartir las verdades eternas de Dios, tan salvaje y vergonzosamente falsificadas por el gran enemigo. Es su misión compartir y defender aun más fervientemente la Verdad, que es el Señor y Salvador de todos: Jesucristo.

La Reforma recuperó muchas verdades por tiempos suprimidas y olvidadas. También denunció siglos de error, mentiras y falsedades. Entre los más grandes dones otorgados al mundo, estuvo el invariable énfasis acerca de la autoridad de la Biblia –no la tradición humana– y la salvación por fe en Cristo Jesús, no en los méritos del esfuerzo humano.

Pero los reformadores perdieron su impulso inicial antes de que la tarea terminase. Otras verdades vitales permanecieron ocultas que debían salir a la luz. El gran despertar adventista redescubrió y defendió la verdad de la segunda venida de Cristo, a pesar de su poca comprensión inicial de la profecía bíblica.

Ahora bien, como los que corren en una carrera de relevo, como ya se dijo anteriormente en este libro, la antorcha está a punto de pasarse a manos del último relevo. Dios ha llamado a un pueblo, remanente, último, para que defienda su verdad… y a Su Verdad, en los últimos días de la historia de esta tierra. Dios le dará a este último relevo la más importante misión de todas.

Sí, este último grupo de su leal remanente, recobrará

muchas verdades perdidas y olvidadas como el sábado, el ministerio de Cristo en el santuario celestial, la naturaleza del hombre en la vida y en la muerte, y también, el inminente regreso de Cristo a la tierra.

Pero también le da a este remanente los tres más urgentes y vitales mensajes jamás dados al mundo: el mensaje de los tres ángeles, tales y como se hallan en las profecías del libro de Apocalipsis.

Estos tres mensajes registrados en el capítulo 14:6–12 de Apocalipsis, son el último llamado de Dios –su última amonestación– a millones de seres vivientes sobre este planeta al fin del tiempo. Así como Noé amonestó e invitó al mundo de sus días; así como Juan el Bautista advirtió y apeló al mundo antes de la primera venida Cristo, Dios tiene un pueblo cuya tarea y privilegio consisten en llamar y advertir al mundo del siglo XXI, que Jesús está a las puertas.

En síntesis, los tres mensajes angélicos de Apocalipsis son:

1. El evangelio eterno predicado con urgencia por causa de la hora del juicio.
2. El llamado de Dios a su pueblo para que salga de Babilonia, símbolo de confusión, error y falsedad religiosa.
3. Advertencia final a no permanecer por más tiempo en una religión equivocada, a riesgo de recibir la "marca" de la "bestia" y del gran enemigo.

Sí, hay advertencias urgentes que dar, porque el tiempo

se acaba. Sí, es necesario que el remanente de Dios establezca el contraste claramente entre las verdades eternas y el error y la falsedad. Pero nótese: los tres mensajes comienzan con el "evangelio eterno". Nada es más importante, nada es más prioritario que este hecho: decirle al mundo la verdad acerca de Dios, manifestada a través de la vida y muerte de Jesús. Es la tarea fundamental de los verdaderos seguidores de Dios de estos últimos días.

"De todos los cristianos profesos", escribió Elena de White, "los Adventistas del Séptimo Día debieran ser los que más exalten a Cristo ante el mundo" (*Obreros evangélicos*, p.150).

Así, pues, ¿qué de todas las doctrinas y verdades que desde el chasco de 1844 hasta el día de hoy han sido recuperadas, redescubiertas, y exaltadas por el remanente de Dios? Junto a la Verdad, ¿no son las otras verdades tan importantes?

Muy difícilmente. Porque, ¿cuál es la Fuente de toda la verdad? ¿Quién las enseñó?

Ello no obstante, debemos estar alertas acerca de dos grandes errores:

El primero de ellos es mirar a nuestro alrededor y asumir que, puesto que otras iglesias no enseñan estas verdades sino que aparentemente se enfocan en Jesús y en la salvación, debiéramos dejarles a ellos esta tarea y usar nuestras energías en compartir las verdades doctrinales únicas que Dios nos ha llevado a descubrir.

El segundo error es presentar estas verdades como si

se sostuvieran por sí solas. Mas, ninguna verdad –ninguna doctrina– es correcta e inteligible, a menos que sea vista en conexión con la suprema Verdad. Todas las doctrinas comienzan y terminan con Jesús. El sábado es importante solamente por lo que dice acerca de Jesús, y cómo nos ayuda a entender su carácter, su amor. El tema del santuario no es sólo símbolos y rituales. Es una ilustración tangible de cómo el amor de Jesús nos salva por fe.

Algunas de las religiones equivocadas de este mundo, enseñan y predican de Jesús. Pero pierden el camino fácilmente y enseñan "gracia barata"; o lo que es lo mismo: "una vez salvo, salvo para siempre". O enseñan que algunos están predestinados para ser salvos y otros para perderse.

Dios ha dado a su remanente fiel la más equilibrada, exacta y clara comprensión de la salvación jamás revelada a la raza humana. Además, él ha mostrado cómo cada enseñanza, cada doctrina de la Biblia dicen algo acerca de Jesús… y que cada una de estas verdades nos ayudan a entender cómo realmente es Dios.

El Remanente

Como adventista –ya sea que recientemente se haya bautizado, o desde la niñez– usted ha tenido el privilegio, muy a menudo, de oír acerca del "remanente". Éste no es un eslogan de mercadotecnia votado por el comité de una iglesia. Es la propia descripción de Dios de sus últimos seguidores fieles.

Note qué dice Apocalipsis 12:17 (VRJ): "Entonces el

dragón fue airado en contra de la mujer, y se fue a hacer guerra contra el remanente de la simiente de ella, los cuales guardan los mandamientos de Dios y tienen el testimonio de Jesucristo".

El dragón, Satanás –dice esta profecía–, se llenó de ira en contra de la "mujer" –los fieles seguidores de Dios, su iglesia–, y se fue a hacer guerra en contra del "remanente" o simiente de la mujer. Remanente es lo que queda; el pequeño residuo o resto.

Y este remanente, dice la profecía, puede identificarse por dos cosas: 1) Guardan los mandamientos de Dios y 2) tienen el "testimonio de Jesucristo".

Veremos más de cerca estas dos marcas distintivas del remanente en el próximo capítulo. Pero por ahora, es oportuna una palabra de precaución. Sería muy fácil concluir que la Iglesia Adventista del Séptimo Día –el "movimiento con destino" del cual nos habla el Dr. Froom– es el nicho exclusivo del único pueblo de Dios, y que únicamente se requiere ser miembro de la Iglesia, y la salvación está asegurada.

Pero, aparte del hecho que la Biblia nos enseña que la salvación no consiste en tener nuestros nombres registrados en el libro de la iglesia, sino únicamente por la fe en Cristo, no todo el que forma parte del verdadero remanente de Dios –sus seguidores fieles– pertenece a la iglesia adventista. Al respecto, Elena de White escribió:

"A pesar de las tinieblas espirituales y del alejamiento de Dios que se observan en las iglesias que constituyen

Babilonia, la mayoría de los verdaderos discípulos de Cristo se encuentran aún en el seno de ellas" (*El conflicto de los siglos*, p. 441).

¿Significa esto que la Iglesia Adventista del Séptimo Día no es el remanente de Dios? En ninguna manera. Pero no todo el pueblo "remanente" de Dios está en su iglesia remanente. En efecto, algunos del remanente pueden haber muerto ya –o morirán pronto– sin nunca haber tenido la oportunidad de unirse a la iglesia verdadera.

Pero si Dios ordena: "Salid de Babilonia", también va a decir: "Únanse al remanente". Y este remanente es la comunión de los llamados a salir: la organización establecida de los comisionados a llevar a cabo la tarea final de Dios. Dios no trajo a la existencia al remanente para ofrecer la salvación como beneficio de una membresía. Él creó su Iglesia remanente para que sea el lugar donde los seguidores leales de Dios puedan comulgar y aprender juntos a cómo unir sus fuerzas, para llegar a ser campeones de sus verdades… y de Aquel que es la Verdad.

¿Ha luchado alguna vez con una soga o una manguera del jardín que está enredada? Para desenredarla, hay que buscar primero la punta y comenzar desde ahí.

Nosotros los adventistas somos expertos en gastar tiempo y esfuerzo y aun argumentar, en nuestro inútil afán por desenredar cosas enredadas. Discutimos las normas de la iglesia, desmenuzamos la teología, y hacemos disección de las doctrinas y argumentamos cómo aplicar el Manual de la Iglesia.

Cuánto tiempo podría ahorrarse –y cuán efectivo podría ser nuestro esfuerzo– si tan solo nos limitáramos a reflexionar, y regresáramos para encontrar la "punta". Porque todo –cada doctrina, cada norma, cada práctica de la iglesia– comienza y termina con Jesucristo. Si tan sólo comenzáramos por allí –y termináramos allí– los enredos desaparecerían. Hallaríamos armonía en todo, en los unos con los otros, y pondríamos fin al hecho de especializarnos en detalles.

Tenemos una tarea urgente y absolutamente vital que cumplir. Tenemos que exaltar a un Salvador ante aquellos que nos rodean. Tenemos verdades que compartir. Hay errores contra los cuales debemos amonestar a la gente. Tenemos que anunciar el regreso de Cristo.

No es accidental el que usted sea un Adventista del Séptimo Día. De hecho, ha sido llamado y escogido. Sí, usted. Dios le ha invitado a ocupar su lugar en la larga lista de sus fieles. Él le ha pedido a que coja la antorcha y recorra la etapa final de la competencia. Él le ha llamado a pelear por la verdad… y por la Verdad.

Así, ya sea que vaya a clases, o al trabajo, cumpla con sus deberes, cuide a sus niños, viva el tren de vida que le ha tocado, dispóngase a ser usado por Dios hoy. Sea un canal de bendición. Sea la voz de Dios. Permita que el amor fluya a través de su persona a favor de los perdidos, los confundidos, y los desesperados. Crea en las "citas divinas". Dios las ha preparado para usted. Esté listo a compartir su misericordia.

Imagínese cómo le ha honrado Dios –cuán privilegiado es usted– al permitirle formar parte de su último "Movimiento del destino". Entre más compartamos a Jesús y su verdad con los que nos rodean, más pronto veremos su faz.

> *Dios ha tenido siempre un pueblo fiel y leal –los llamados, los escogidos–, y todavía tiene un pueblo especial hoy.*

CAPÍTULO 12

UN DON SIN IGUAL

Q ué es eso que tienes en tu mano?" – le preguntó Dios a Moisés.

- Una vara. Una simple vara de madera. Pero con ella libertaría a Israel.
- En las manos de 300 hombres, Dios usó trompetas, antorchas, y botijas de barro para derrotar a los madianitas.
- En las manos de Jesús, cinco panes y dos pececillos, sirvieron para alimentar a más de cinco mil personas.

Dios, a menudo, usa lo simple, lo pequeño, lo irrelevante, y lo aparentemente débil para hacer maravillas.

Cuando la Iglesia Adventista del Séptimo Día comenzó a surgir de las cenizas del Gran Chasco de 1844, Dios usó a una muchacha adolescente para que fuera su mensajera escogida del remanente.

Elena Harmon –nacida en 1827– recibió una visión sobre el pueblo de Dios en su peregrinaje hacia el cielo, cuando sólo tenía 17 años de edad. Aquélla fue la primera de cerca de 2,000 visiones que recibió durante su ministerio esta sierva inspirada. En 1846, Elena contrajo matrimonio con Jaime White, un joven ministro que compartía con ella la convicción de que Jesús regresaría muy pronto.

Poco después de su boda, Jaime y Elena aceptaron la verdad bíblica acerca del sábado.

Elena y su esposo Jaime, junto con un capitán de barco jubilado, cuyo nombre era José Bates, son considerados los primeros fundadores de la Iglesia Adventista del Séptimo Día, la cual fue organizada en 1863.

Los lectores adventistas saben que la señora White –o la hermana White, como se la conoce en la Iglesia– fue una escritora prolífica. Más de cuarenta libros salieron de su pluma inspirada. También escribió 5,000 artículos para los periódicos denominacionales. Desde su muerte en 1915, muchos otros libros han sido publicados, cuyos textos fueron extraídos de materiales inéditos. También se han hecho compilaciones de sus libros publicados. Hoy, más de cien libros han sido impresos en el idioma inglés. Ella es la autora más traducida de todos los tiempos.

Durante su largo ministerio, fue el instrumento que Dios usó para establecer instituciones médicas, casas publicadoras e instituciones educativas. Y por supuesto, sus consejos publicados –muchos de ellos basados en visiones que Dios le dio– ayudaron a la naciente iglesia en sus primeros años de organizada, y continúan haciéndolo hoy.

Desde el mismo principio, los creyentes adventistas estuvieron convencidos que la señora White poseía el don de profecía bíblico. También creyeron que Apocalipsis 12:17 y 19:10, refuerzan la presencia de este don profético como una de las dos señales que identifican al pueblo remanente.

Aunque Elena de White nunca reclamó para sí el título

de profeta, ella más bien se hacía llamar la "Mensajera del Señor", y se aplicó las pruebas bíblicas de un profeta verdadero, tanto a sí misma como a sus escritos. Los adventistas están convencidos de que ella poseía el genuino don profético bíblico.

En forma breve, resumimos las pruebas que la Biblia da para saber si una persona posee el don de profecía genuino:

1. La prueba de las profecías cumplidas: "El profeta que profetiza de paz, cuando se cumpla la palabra del profeta, será conocido como el profeta que Jehová en verdad envió" (Jer. 28:9).

La prueba bíblica también debe incluir el principio "condicional" de la profecía. Esto es, reconocer que algunas profecías dependen para su cumplimiento de la respuesta del pueblo de Dios. Nuevamente es Jeremías quien establece este principio:

"En un mismo instante hablaré contra pueblos y contra reinos, para arrancar, y derribar, y destruir. Pero si estos pueblos se convirtieren de su maldad contra la cual hablé, yo me arrepentiré del mal que había pensado hacerles. Y en un instante hablaré de la gente y del reino, para edificar y para plantar. Pero si hiciere lo malo delante de mis ojos, no oyendo mi voz, me arrepentiré del bien que había determinado hacerle (Jer. 18:7–10).

2. La prueba de concordar con la Biblia: "¡A la ley y al testimonio! Si no dijeren conforme a esto, es porque no les ha amanecido" (Isa. 8:20). En los tiempos bíblicos –así como en los siglos posteriores– la suma total de todos los escritos proféticos anteriores era la prueba de autenticidad por la cual cada mensaje profético posterior era autenticado. Aunque los profetas posteriores podían proveer nuevas perspectivas de las verdades de Dios, tales conceptos nunca contradecían las verdades fundamentales ya reveladas por los profetas bíblicos anteriores.

3. La prueba de los frutos: "Guardaos de los falsos profetas, que vienen a vosotros con vestidos de ovejas, pero por dentro son lobos rapaces. Por sus frutos los conoceréis. ¿Acaso se recogen uvas de los espinos, o higos de los abrojos? Así, todo buen árbol da buenos frutos, pero el árbol malo da malos frutos. No puede el buen árbol dar malos frutos, ni el árbol malo dar frutos buenos. Todo árbol que no da buen fruto, es cortado y echado en el fuego. Así que, por sus frutos los conoceréis" (Mat. 7:15-20).

Esta prueba –como las dos primeras– toma tiempo. Los frutos de un árbol no se desarrollan y maduran de la noche a la mañana. Pero mientras el carácter, ministerio, y mensajes de un profeta llegan a ser más evidentes, una cuidadosa evaluación revelará qué clase de frutos se espera que lleve el árbol profético.

4. La prueba del testimonio del profeta respecto a la naturaleza de Cristo: "Amados, no creáis a todo espíritu, sino probad los espíritus si son de Dios; porque muchos falsos profetas han salido por el mundo. En esto conoced el Espíritu de Dios: Todo espíritu que confiesa que Jesucristo ha venido en carne, es de Dios; y todo espíritu que no confiesa que Jesucristo ha venido en carne, no es de Dios" (1 Juan 4:1-3).

5. La prueba de la fuente: Los profetas verdaderos no inventan sus profecías, sino que presentan lo que el Espíritu Santo les revela. "Porque nunca la profecía fue traída por voluntad humana, sino que los santos hombres de Dios hablaron siendo inspirados por el Espíritu Santo" (2 Ped. 1:21).

De la misma manera, los profetas verdaderos no dan su interpretación privada y personal de la profecía. Ellos más bien se basan en las Escrituras para rendir la interpretación correcta. "Sabiendo esto, que ninguna profecía es de particular interpretación" (2 Ped. 1:20).

Desde los primeros días del movimiento adventista hasta hoy, centenares, miles y tal vez millones de personas han estudiado los mensajes y la vida de Elena G. de White, y han evaluado su ministerio mediante estas pruebas bíblicas del verdadero profeta. En cada década, la conclusión ha sido la misma: Elena de White, en verdad, evidenció en su vida, en sus predicciones y escritos, las pruebas de un verdadero profeta.

Pero alguien preguntará: ¿cómo se relacionan los escritos

de la señora White con la Biblia? ¿Son estos escritos una adición a la Biblia? Si es así, ¿cómo encaja esto con la verdad de los reformadores acerca de la autoridad de la Biblia y sólo la Biblia?

En los primeros años de la Iglesia, los adventistas tuvieron que sortear y bregar con estas cuestiones. En 1863, Urías Smith, editor, pionero y autor adventista escribió un artículo en la Revista Adventista, periódico oficial de la iglesia, titulado "¿Descartamos la Biblia al apoyar las visiones?" En ese artículo, Smith enfocaba precisamente el principio clave de la reforma de "La Biblia y la Biblia sola".

El piloto portuario

En su artículo el pastor Smith usó la ilustración de un transatlántico que se acerca al puerto, a su destino. De acuerdo al manual de navegación de la nave, justo antes de entrar al puerto, el barco tiene que detenerse y permitirle al piloto portuario subir a bordo. Él conoce lo traicionero de las aguas y los peligros que hay para llegar al muelle.

"El Espíritu de Profecía" –escribió Smith– "nos ha sido dado para conducirnos al puerto en estos tiempos llenos de peligros. Y donde sea y con quien sea veamos las manifestaciones de este don, estamos obligados a respetarlo. No podemos obrar de otra manera sin rechazar la Palabra de Dios, la cual nos instruye a aceptarlo. ¿Quiénes están basados en la Biblia y la Biblia sola?"—Review and Herald, enero, 13, 1863.

La Biblia dice que al aproximarse al puerto, se le asignará

un "piloto" –el don de profecía– a la iglesia remanente para guiarla a través de las peligrosas aguas del viaje final.

Si esto es, en efecto, lo que la Biblia enseña –y lo hallamos en el Apocalipsis como un hecho– entonces quiénes, pregunta el pastor Smith, creen en la Biblia y la Biblia sola, ¿los que aceptan al piloto, o los que no lo aceptan?

Elena de White misma, nunca vio que sus escritos fueran una adición a la Biblia, pero los consideró como "la luz menor que nos guía a la luz mayor". Así como Jesús vino a revelar al Padre, y así como el Espíritu exalta a Jesús, los escritos proféticos de Elena de White exaltan y honran la Biblia.

Otras iglesias, por supuesto, tienen también sus propios profetas, o sus libros inspirados. Pero hay diferencias muy marcadas entre ellos. Los mormones –la Iglesia de Jesucristo de los Últimos Días– que comenzaron casi por el mismo tiempo en que surgió el movimiento adventista, tienen su libro del Mormón y otros libros que ellos consideran inspirados, y creen que éstos están al mismo nivel que la Biblia… y que son una adición a ella.

Los escritos de Elena de White –a los cuales los adventistas también llaman "El Espíritu de Profecía"–, son vistos más bien como una lente de aumento o la luz de una lámpara que ilumina a la Biblia para hacerla más fácil de apreciar y entender sus verdades.

Hay otra gran diferencia entre los Adventistas y las otras iglesias que creen tener profetas inspirados o escritos inspirados. Los católicos, por ejemplo, creen que los decretos papales y la tradición están por encima de la Biblia…, y se los prefiere, si ambas fuentes no concuerdan entre sí. Sin embargo, los adventistas creen que todos los dones y manifestaciones del Espíritu, deben ser evaluados por la Biblia, y que nada que no está en armonía con la Palabra debe ser rechazado.

El porqué del don de profecía

Así, pues, ¿cómo deberíamos ver el rol del espíritu de profecía en la Biblia?¿Cuál es su propósito? ¿Por qué pensó Dios que la iglesia lo necesitaría? Considere estas sugerencias.

1. Así como el pequeño grupo de leales a través de la historia defendieron las verdades olvidadas y suprimidas de la Biblia, el espíritu de profecía derrama luz sobre las verdades que Dios está restaurando en estos días finales de la historia humana: el sábado, el santuario, el estado de los muertos, la segunda venida y la gran verdad de la justificación por la fe en Cristo Jesús.

Pero jamás aceptemos la acusación de los que dicen que los adventistas formularon sus doctrinas –y dieron forma a su cuerpo de verdades doctrinales– basados en los escritos y visiones de Elena G. de White.

Por ejemplo, los primeros críticos alegaban que la doctrina del santuario celestial fue elaborada y basada principalmente en las visiones de la señora White. En 1874, el pastor Urías Smith –por ese tiempo editor de la Review and Herald– enfrentó tal acusación en un editorial de la misma revista:

> "Cientos de artículos han sido escritos sobre el tema del santuario. Pero en ninguno de ellos, las visiones fueron alguna vez citadas como autoridad sobre el mismo, o ser la fuente de la cual las verdades que sostenemos se han derivado. La apelación es invariablemente a la Biblia, donde hay abundante evidencia para la convicción que sostenemos sobre el tema" (*Review and Herald*, dic. 22, 1874).

Una cuidadosa investigación de nuestra historia temprana como iglesia, mostrará que las mismas palabras que el pastor Smith escribió con respecto a la verdad del santuario, se aplica a todas las verdades adventistas descubiertas al escudriñar la Palabra. Muy a menudo, sin embargo, después de largas horas de estudio y oración, la verdad era "confirmada" como cierta e importante, mediante una visión dada a la señor White. Y en los años siguientes, los escritos de Elena de White, elevarían, honrarían y enfatizarían la importancia de esas verdades.

2. El espíritu de profecía es de incalculable valor para los Adventistas en su misión de anunciar la verdad acerca de Dios y su carácter amoroso. En la gran controversia entre Cristo y Satanás, el enemigo se ha dedicado a atacar el carácter de Dios. Ha sido siempre privilegio de los verdaderos seguidores de Dios defender y decir la verdad acerca de la clase de Dios que rige el universo. Y a medida que este conflicto llega a su final, esa misión –ahora tarea del remanente– se torna cada vez más urgente o crítica.

Dios no es autor del sufrimiento, de la muerte y la miseria.

Dios no es destructor.

Dios no es un juez vengativo que procura sorprendernos "con las manos en la masa".

Dios no es autor de una ley que él sabe que es imposible guardar.

En un lenguaje elegante, y a la vez elocuente, Elena de White escribió la verdad acerca de Dios; y lo que ella escribió en libros tales como *El camino a Cristo, El Deseado de todas las gentes* y *Palabras de vida del gran Maestro*, pintan un cuadro del Dios que los adventistas pueden muy bien compartir con los que han sido engañados por las mentiras de Satanás.

3. El espíritu de profecía nos dice claramente la historia completa del Gran Conflicto. ¿Se da cuenta que no hay otra iglesia, ningún otro grupo religioso sobre la tierra, que enseñe o aun entienda el mismo corazón de la historia bíblica?: el tema del Gran Conflicto. Es una verdad propia de los adventistas, y es nuestro gran privilegio compartirlo con los que no lo han oído o entendido. El tema del "gran conflicto" es el gran mural. Es la historia completa de la lucha cósmica entre el bien y el mal. Es la vista abarcante del bosque entero que muestra el lugar importante de cada árbol individual.

El gran conflicto es la única explicación posible que puede responder las dudas, enigmas y cuestionamientos acerca de los eventos de nuestra existencia: ¿De dónde vine? ¿Por qué estoy aquí? ¿A dónde voy? ¿Por qué es tan malo el mundo si Dios es bueno? ¿Por qué sufren los inocentes?

El tema del gran conflicto no solamente nos dice cómo comenzó el mal, sino que nos muestra claramente cómo terminará. Nos asegura la promesa de que el pecado y la muerte pronto terminarán para siempre. Que podemos tener esperanza de vida eterna en un lugar de perfecta paz, libre de pecado.

El gran conflicto, finalmente, es el único marco de referencia que nos muestra cómo cada verdad bíblica se relaciona con las otras. ¿Quiere saber cómo la verdad acerca del milenio se relaciona con la verdad del sábado? El tema del gran conflicto se lo dirá. Cuando es visto en este marco de la gran controversia, cada verdad toma su lugar como las fichas en un rompecabezas.

A la gente le gustan las historias, toda vez que éstas nos ayudan a entender cosas abstractas. Y no hay historia más grande, más importante, más relevante que la historia del gran conflicto.

4. El espíritu de profecía conduce a los lectores a la Palabra. La Biblia se llama a sí misma la Palabra, aunque también aclara que Jesús mismo es La Palabra Viviente. Y si hubo una razón vital, más relevante que cualquier otra, por la cual Dios le haya dado esta gran luz a su pueblo remanente, fue con el fin de conducirlo tanto a la Palabra Viviente como a la Palabra escrita.

Los escritos de Elena de White rezuman el amor y el carácter de Jesús, la Palabra. Su gran encargo fue llevar a sus lectores a mantener una relación creciente, real y profunda con Jesús. Ella exaltó a Jesús en todos sus escritos. Y sabiendo que desde su resurrección, Jesús es quizás mejor conocido mediante la Palabra escrita que por ningún otro medio, también exaltó la Biblia. En su última aparición pública ante la iglesia reunida en una sesión administrativa, terminó sosteniendo su Biblia en alto, y dijo: "Hermanos, ¡les recomiendo este Libro!"

5. Mediante el espíritu de profecía, Dios nos enseñó no sólo cómo ser felices y santos, sino también cómo mantenernos saludables. Uno de los mayores dones que Dios ha dado a su pueblo mediante el don profético, es lo que los adventistas llaman "la reforma pro salud".

Hoy, la ciencia médica y las investigaciones de laboratorio, cada vez más, llegan a conclusiones que confirman lo que Elena de White dijo acerca de la salud, la enfermedad, y el cuerpo humano hace poco más de un siglo. En un tiempo cuando los médicos prescribían el fumar como tratamiento para corregir los desórdenes pulmonares, ella advirtió acerca de los efectos letales de la nicotina. Anticipándose décadas en el futuro, advirtió en contra de los peligros de una dieta basada en el consumo de carne, el comer en exceso, y el ingerir alcohol. Y hoy, costosos y sofisticados masajes de relajación emplean los métodos naturales sencillos de curación… de los cuales ella escribió hace muchísimo tiempo.

6. También mediante el don profético Dios ha compartido instrucciones y predicciones oportunas con su pueblo. Muy al principio de su ministerio, y antes que el conflicto empezara, Elena de White advirtió de la guerra civil y de la tragedia que traería consigo esa conflagración. También profetizó acerca del desarrollo del espiritismo, que en nuestros días se manifiesta de incontables maneras: la filosofía de la Nueva Era, el misticismo oriental, la comunicación con los muertos, la astrología, el auge de los psíquicos y médiums, y muchos otros sofismas. De importancia particular hoy son sus predicciones respecto al papel del papado y de los Estados Unidos en el cumplimiento de la profecía bíblica.

Dios, en verdad, dio este don profético a su pueblo remanente, y no cabe duda que el enemigo lo atacará agresivamente. Y lo ha hecho. Cada acusación y cuestionamiento y los cargos que se le han hecho, tenían como propósito desfigurarlo o suprimirlo. Pero así como la Palabra, la cual exalta, se ha mantenido firme después de siglos de ataques, así sucede con el don profético que Dios le ha dado al remanente.

Somos benditos… y honrados
Más allá de todo cuestionamiento, Elena de White fue un

ser humano falible. Estuvo sujeta a errores, aun como autora. Pero tome la totalidad de sus escritos, en lugar de palabras aisladas u oraciones sueltas, y verá que su mensaje fue –y es– consistente, razonable, y que sobre todo armoniza con "la Luz Mayor".

Algunos adventistas, a veces, parecen un tanto confundidos cuando afirmamos que "tenemos un profeta". Pero, ¿se sentía apenado Israel por el hecho de tener un santuario, un templo, y sus profetas, y que también eran un pueblo "escogido"? Contrariamente, deberíamos sentirnos bendecidos y honrados porque Dios haya confiado este maravilloso don a su remanente.

Dios no nos dejó solos para buscar la ruta a través de la peligrosa travesía por cuenta propia. . . nos envió un piloto portuario.

¿Nos dice esto algo? ¿Dice algo respecto a él?

Dios ha tenido siempre un pueblo fiel y leal –los llamados, los escogidos–, y todavía tiene un pueblo especial hoy.

CAPÍTULO 13

¿QUIÉNES SOMOS?

Poco después del Gran Chasco de 1844, el grupo que llegaría a ser la Iglesia Adventista del Séptimo Día, muy bien podrían caber juntos en una sala, o en el recibidor de una casa contemporánea.

En 1863, cuando la iglesia se organizó oficialmente, contaba apenas con 3,500 miembros registrados.

Pero para el 2006, la membresía mundial de la Iglesia se aproxima a los 15 millones, y está creciendo a un promedio de un millón de miembros por año.

Este asombroso crecimiento es, por supuesto, digno de celebrarse. Es la medida del éxito de los llamados por Dios en su esfuerzo por ganar a otros para Cristo y su verdad en el tiempo del fin. Y, aunque también es cierto que los Adventistas del Séptimo Día son una denominación oficialmente organizada, jamás se han considerado a sí mismos "una iglesia más". Todo lo contrario, se consideran un "movimiento": un pueblo del cual Dios no solo profetizó su existencia, sino que cuando llegó el tiempo preciso, los llamó a que salieran de la confusa Babilonia formada por otras iglesias para presentar su último mensaje al mundo.

Como el antiguo Israel, los adventistas están convencidos que ellos son un pueblo especialmente escogido por Dios. Pero también saben que ser escogidos no quiere decir que son espiritualmente superiores a otros. Más bien, se dan cuenta que ser escogidos significa tener un mensaje único y urgente que dar al mundo. Único, porque ningún otro pueblo sobre la tierra posee un sistema de verdades tan completo. Urgente, porque el tiempo se acaba, y la venida de Jesús ya está a las puertas.

Si bien nuestro crecimiento asombroso por décadas es una buena razón para estar contentos y agradecidos, no es menos cierto que un crecimiento sin objetivos, puede llevarnos al desastre. Cualquier médico le dirá que el cáncer, por definición, es la multiplicación desorganizada y caótica de las células.

Así, pues, a través de nuestra historia hemos tenido que organizarnos y reorganizarnos una y otra vez. Y antes que nuestra misión sobre la tierra termine al venir Jesús por segunda vez, veremos aun más cambios en nuestra organización y métodos de evangelización como iglesia. Por cierto, la forma en que nos organizamos en 1863, cuando teníamos sólo 3,500 miembros, es obsoleta ahora. Y lo es más hoy, porque ya formamos una legión que se acerca a los 15 millones de miembros en el mundo.

Por tanto, mientras la iglesia crecía, sus líderes se dieron cuenta que a fin de ser más efectivos en realizar la misión que Dios nos encargó, necesitábamos organizar el trabajo en unidades geográficamente más pequeñas. Al principio, existía sólo la Asociación General, sede central de la iglesia mundial. Ciertos estados y áreas más pequeñas tenían también sus asociaciones "locales". Al expandirse la Iglesia en forma rápida, los líderes se dieron cuenta que sería más efectivo agrupar varias asociaciones en lo que posteriormente se llamarían "uniones". Esto se hizo en el año 1901.

Hoy, contamos con los siguientes estratos administrativos en la organización de la iglesia:

- La iglesia local
- La asociación
- La unión
- La división
- La Asociación General

Las Divisiones, que pueden abarcar un continente entero, partes de un continente, o un grupo de islas, son "ramas", por así decirlo, de la Asociación General, en sus respectivas áreas del mundo. Las Divisiones no están separadas, o constituyen niveles independientes de la organización general de la iglesia; más bien, son la Asociación General que opera en esa área del mundo. Actualmente, la iglesia mundial tiene trece divisiones en todo el mundo:

- División del África Central Oriental.
- División del África Central Occidental
- División Euroafricana.
- División Interamericana.
- División Norteamericana.
- División del Pacífico y del Norte de Asia
- División del Pacífico y del Sur de Asia
- División Sudamericana.

- División del Pacífico Sur.
- División del Sur de África y del Océano Índico.
- División del Sur de Asia.
- División Transeuropea.
- División Euroasiática.

Dentro de cada una de estas divisiones se hallan las uniones, asociaciones locales y misiones. La División Norteamericana, por ejemplo, tiene nueve uniones-asociaciones, cada una de las cuales abarca varios estados, o parte de algunos estados, lo que en Canadá se les llama provincias.

Cada "nivel" de nuestra iglesia existe para servir a otras entidades dentro de su territorio, a fin de proveer recursos, dirección, entrenamiento y motivación espiritual para cada entidad. Cada entidad –o nivel– de la estructura de la iglesia deriva su autoridad de la voluntad colectiva y representativa de sus constituyentes –o miembros– de cada área geográfica. Los distintos niveles de la organización de la iglesia son mutuamente responsables ante el otro para el cumplimiento de sus objetivos, ya sea a nivel de iglesia local, asociación o unión.

Por ejemplo, las iglesias de una asociación dada, son responsables ante sus constituyentes respectivos dentro de esa asociación, y existen por determinación de ellos. Así también los delegados a una reunión regularmente programada de la asamblea constituyente en una asociación dada, tienen al liderazgo y a la junta directiva como responsables ante ellos, de allí que las iglesias individualmente de una asociación han de responder ante la voluntad colectiva de todas las iglesias de la misma.

Como adventista, usted ya está bien informado de la estructura de nuestra Iglesia; así que no es necesario dedicar todo el capítulo para hacer una lista de cada unión y asociación local en todo el mundo, o referir la historia y el papel de cada organización en sus áreas respectivas a lo largo y ancho del planeta. Usted puede fácilmente hallar esa información en el Libro de Estadísticas Anual o en la Enciclopedia Adventista, ya sea en la edición impresa o en la edición en línea mediante la Internet.

Pero –y aquí hay un hecho importante que hay que subrayar en nuestra discusión–, usted puede sentirse orgulloso de lo siguiente: que así como un ejército está bien organizado para cumplir su misión, ¡también lo está su Iglesia! Usted pertenece a una iglesia que hace lo mejor para ser eficiente y producir los máximos resultados. En este caso, los logros no son las ingentes ganancias económicas de los accionistas, o los éxitos militares. Los resultados que realmente buscamos son traer a cada ser humano de esta tierra a los pies de Jesús: la Verdad, y a las verdades del tiempo del fin.

Al asistir a su iglesia local, puede también estar seguro que forma parte de un movimiento mundial, que tiene hermanos y hermanas por millones alrededor del mundo, quienes creen y comparten la misma fe y visión de una "obra terminada", y la esperanza del pronto regreso de Cristo.

Si bien la iglesia comenzó en Norteamérica, sus miembros y líderes, desde el principio, percibieron una visión global de llevar a todo el mundo el mensaje de Dios para estos últimos días.

En 1874, J.N. Andrews dejó los Estados Unidos y viajó a Suiza, como el primer misionero al extranjero de nuestra iglesia. Pronto, otros misioneros adventistas empezaron a salir para servir en otras regiones, naciones y países del mundo cada año. Al principio eran pocos, pero muy pronto una ola de hombres y mujeres zarparon hacia otras tierras, a fin de proclamar el evangelio eterno a otras naciones.

He aquí algunos de los primeros misioneros que siguieron las huellas de J.N. Andrews, muchos de ellos acompañados por sus familias:

1874: J. N. Andrews, A. Vuilleumier, a Suiza

1875: James Erzenberger a Alemania

1875: Daniel T. Bordeau a Suiza

1876: Daniel T. Bordeau a Francia

1877: J. G. Matteson a Noruega

1877: William Ings y su esposa a Suiza

1878: J. N. Loughborough a Inglaterra

1878: Maud Sisley a Inglaterra

1879: El Sr. J. P. Jasperson y su esposa a Noruega.

Desde 1880, el número de misioneros creció rápidamente cada año, de tal suerte que docenas de ellos salían para servir allende el mar cada año.

Australia, las Indias Occidentales, la India, Trinidad, Centroamérica, Sudamérica, Sudáfrica, Nueva Zelanda, las Islas Hawaii, México y la Polinesia rápidamente recibían a los misioneros Adventistas del Séptimo Día, y la tierra prácticamente era circundada por ellos.

Hoy, virtualmente, no hay país –ningún rincón remoto de la tierra– donde la obra de la iglesia no haya penetrado. Quizás no hay otra iglesia sobre la tierra que sea realmente una iglesia global como la nuestra.

Es cierto, por supuesto, que el impulso misionero y evangelístico –el progreso hacia una "obra concluida"– no es idealmente uniforme alrededor del mundo. En algunas áreas, el remanente está creciendo como un fuego salvaje alentado por el viento. Tan explosivo es el crecimiento, que bautismos masivos tienen lugar en gigantescas piscinas: el índice de formación de nuevas iglesias es asombroso.

Pero, indudablemente, en otras partes del mundo, la apatía laodicense todavía persiste. La riqueza, la comodidad, el exceso de trabajo, y las distracciones entretienen a la gente y conspiran a fin de adormecer a los miembros de la iglesia, llevándolos al letargo y a la inacción. Y si su "primer amor" se ha enfriado, y ya no recuerdan por qué son adventistas, entonces no tienen ni el interés ni la motivación para compartir su fe con otros.

Pero la buena noticia es que en el tiempo del fin, la lluvia tardía del Espíritu Santo será derramada sobre la iglesia mundial, infundiendo nueva pasión, energía y visión clara a la iglesia. Esto creará un deseo irresistible en los miembros de la iglesia de ganar a otros para Cristo, porque habrán renovado su amor, su pacto y su relación con su Señor.

Cuando ese tiempo llegue, el crecimiento de la iglesia será uniforme y rápido y a escala mundial. El evangelismo será en verdad mundial. Y se llevará a cabo no solamente mediante reuniones públicas, sino mediante un ejército de laicos encendidos de pasión por el fuego del Espíritu. El amor es la fuerza más poderosa del universo. Y cuando llegue a ser la poderosa fuerza motivadora de los verdaderos seguidores de Dios en los días finales, el mundo entero será confrontado con la última y eterna decisión: la lealtad a Dios y a su verdad, o la lealtad al enemigo, primordialmente en la forma de servir al YO.

Alcance mundial

Al considerar el alcance mundial del ministerio de la Iglesia, piense de nuevo en las múltiples maneras en que la iglesia toca la vida de la gente. Es alentador saber que alrededor del mundo los adventistas son cristianos activos, ocupados y comprometidos. Su intensa actividad asume formas como las siguientes:

EVANGELISMO. Mediante el evangelismo público (principalmente vía satélite en los años recientes, a fin de alcanzar a la mayor audiencia), estudios bíblicos, distribución masiva de literatura, la radio, la televisión, seminarios de salud y otras avenidas disponibles, ganamos a nuestros vecinos y amigos al compartir con ellos el evangelio, las buenas nuevas de salvación en Cristo Jesús.

EDUCACIÓN. Los adventistas del séptimo día operan cerca de 6,000 escuelas alrededor del mundo: desde los niveles elementales hasta colegios y universidades.

SALUD Y ATENCIÓN MÉDICA. Más de 500 hospitales, sanatorios, clínicas y dispensarios se hallan distribuidos alrededor del mundo.

AYUDA EN CASOS DE DESASTRES Y ESCASEZ. Mediante los esfuerzos de la Agencia Adventista de Desarrollo y Recursos Asistenciales (ADRA), nuestra iglesia es capaz de responder rápidamente ante los desastres en cualquier parte del mundo mediante el suministro de alimentos, ropa y medicina. Además, ADRA lleva adelante un programa continuo de ayuda para combatir el hambre y la escasez en zonas del mundo azotadas por la sequía y otras crisis.

SERVICIO COMUNITARIO. Muchas iglesias adventistas operan en forma local a través de Centros de Servicio Comunitario dirigidos por miembros voluntarios, que atienden a los necesitados y a los que están sin hogar en sus respectivas comunidades.

PUBLICACIONES. Con cerca de 60 casas publicadoras alrededor del mundo, los Adventistas del Séptimo Día están totalmente comprometidos en compartir las buenas nuevas acerca de Dios mediante la página impresa.

COMUNICACIÓN. Los adventistas están entre los primeros en llevar el evangelio de Jesucristo mediante la radio y la televisión. Tenemos programas tales como "La Voz de la Esperanza", "Una Luz en el Camino" y "Así Está

Escrito", que alcanzan a millones alrededor del mundo.

Es maravilloso saber que somos una iglesia creciente y vigorosa, una iglesia organizada, una familia mundial. Pero debemos estar en guardia. Después de todo, la séptima y última iglesia del Apocalipsis es Laodicea.

"Y escribe al ángel de la iglesia en Laodicea: He aquí el Amén, el testigo fiel y verdadero, el principio de la creación de Dios, dice esto:

Yo conozco tus obras, que ni eres frío ni caliente. ¡Ojalá fueses frío o caliente! Pero por cuanto eres tibio, y no frío ni caliente, te vomitaré de mi boca. Porque tú dices: Yo soy rico, y me he enriquecido, y de ninguna cosa tengo necesidad; y no sabes que tú eres un desventurado, miserable, pobre, ciego y desnudo. Por tanto, yo te aconsejo que de mí compres oro refinado en fuego, para que seas rico, y vestiduras blancas para vestirte, y que no se descubra la vergüenza de tu desnudez; y unge tus ojos con colirio para que veas. Yo reprendo y castigo a todos los que amo; sé, pues, celoso, y arrepiéntete. He aquí yo estoy a la puerta y llamo; si alguno oye mi voz y abre la puerta, entraré a el, y cenaré con él, y él conmigo" (Apoc. 3:14–20).

¿Contra qué necesitamos estar en guardia? Contra una experiencia de tibieza espiritual. Esa puede ser una trampa, y que puede tener lugar cuando nuestra conexión personal con Jesús decrece. Puede tener lugar cuando llegamos a estar tan ocupados en mil asuntos, que olvidamos seguir invirtiendo tiempo en nuestra relación con él.

¿Contra qué más debemos estar vigilantes? Contra

la suficiencia propia. El creer que todo está bien, cuando no es así. Y eso puede ser cierto tanto en nuestro andar cristiano personal, y en la forma en que juntos trabajamos como iglesia. Las iglesias también pueden llegar a la autosuficiencia, al depender de sus programas, planes, presupuestos y organización, en lugar de depender de la Fuente real de poder: el Espíritu Santo.

Pero el mensaje a Laodicea dice que podemos arrepentirnos. Podemos buscar el oro de Dios, las vestiduras blancas y el colirio, o sea su justicia, su amor y su Espíritu. Dice también que podemos invitarle a entrar, pues está tocando a la puerta de nuestro corazón.

Imagínese, dejar a Jesús de pie ante nuestra puerta sin siquiera preguntar quién es. Corremos el riesgo de hacer eso, tanto en forma personal, como en forma corporativa, como iglesia.

Así, mientras pensamos acerca de lo que significa ser parte del remanente, mientras reflexionamos sobre qué significa ser un adventista del séptimo día, tomemos en serio el diagnóstico que Dios hace de las enfermedades que padece Laodicea. Pues, todos y cada uno de nosotros, somos Laodicea.

En las aulas escolares, los consagrados profesores esperan que de cada clase que imparten, los estudiantes lleven consigo a casa a lo menos un pensamiento importante: el tema principal de la clase. Este libro también tiene un mensaje para "llevar a casa". Éste es el mensaje: Usted es parte de algo GRANDE, algo que va a sacudir la tierra por su importancia, algo que es de mucha mayor prioridad que cualquier cosa que haya visto u oído en las noticias de televisión por cable. Usted es parte de una cadena irrompible de fieles de Dios desde el Edén perdido hasta el Edén restaurado. Usted tiene un papel especial que jugar en el contexto universal. Dios lo necesita, quiere que descubra y use los dones espirituales que él le ha dado. Él necesita que desarrolle una pasión por los que no le conocen, como usted le conoce. Él desea que esté disponible para su servicio cada día que pasa, de tal manera que él pueda alcanzar a otros mediante su participación. Dios necesita que usted sea su voz, sus manos, su presencia para los que están engañados con las mentiras de Satanás acerca de Dios. Él necesita que usted diga la verdad acerca de quién realmente es él. Dios necesita que por su intermedio, él pueda derramar su amor sobre otras personas. Él necesita que le permita vivir en su vida, de tal manera que otros puedan ver su carácter de amor de cerca ¡"y en forma personal"!

Nuestra identidad

En nuestro viaje a través de la vida, todos luchamos con la gran cuestión de nuestra identidad personal: "¿Quién soy?" A veces confundimos nuestra identidad con lo que hacemos, con lo que logramos, o con lo que otros piensan acerca de nosotros. Pero usted es único. Yo soy único. Todos somos únicos, Por lo tanto, es importante descubrir quiénes realmente somos, independientemente de nuestro trabajo, de nuestros roles en la vida, e inclusive de las opiniones de otros acerca de nosotros.

Si usted es un Adventista del Séptimo Día, también va a batallar con otra gran cuestión de identidad. No de identidad personal, sino de nuestra identidad corporativa. "¿Quiénes somos?"

¿Quién es un Adventista? ¿Para qué estamos aquí? ¿Por qué existimos?

La Enciclopedia Americana de las Religiones informa sobre lo que creen 1,588 denominaciones o grupos de creyentes en los Estados Unidos. Y la Enciclopedia del Mundo Cristiano identifica a 10,000 religiones distintas en el mundo. Solamente una de ellas, el Cristianismo, incluye 33,830 diferentes denominaciones alrededor del mundo.

Así, pues, como adventistas, somos una de esas miles de iglesias y denominaciones sobre la tierra. De esta iglesia, ¿se puede decir que tiene algo especial? ¿Somos verdaderamente un remanente, o todavía estoy entre los engañados y perdidos por las falsas doctrinas de Babilonia? ¿Somos en verdad un movimiento con destino, con un mensaje urgente que dar a un mundo que está llegando a su fin?

Es cierto que los adventistas a veces nos distraemos. A veces nos desenfocamos. Terminamos descarrilados por momentos y caemos en discusiones acerca de las doctrinas o las normas de la iglesia; o si el don de profecía es en verdad todavía relevante. Vemos que el gran enemigo no nos deja solos. El diablo ataca a los matrimonios adventistas, a las escuelas adventistas, a las instituciones y a hasta los líderes adventistas.

Pero, amigo, aun cuando el diablo esté haciendo lo peor, Dios también está haciendo lo mejor. Y todavía hemos de ver el poder de la anunciada lluvia tardía: el poderoso derramamiento del Espíritu de Dios. La lluvia tardía proveerá de poder al pueblo de Dios, un poder pentecostal sin precedentes para testificar; pero ese poder no lo transformará a la imagen de Jesús.

Apocalipsis, en el capítulo 7, nos dice que en el tiempo del fin, el pueblo de Dios recibirá el "sello de Dios": "Vi también a otro ángel que subía de donde sale el sol, y tenía el sello del Dios vivo; y clamó a gran voz a los cuatro ángeles, a quienes se les había dado el poder de hacer daño a la tierra y al mar, diciendo: No hagáis daño a la tierra ni al mar, ni a los árboles, hasta que hayamos sellado en sus frentes a los siervos de nuestro Dios" (Apoc. 7:2,3).

Frentes: mentes …. corazones. Los que reciben la señal de Dios han afirmado su lealtad a él y a su verdad que no pueden ser más desplazados, su compromiso con Dios es irreversible. Han logrado un nivel en su caminar cristiano, donde preferirían morir antes que escoger de nuevo su propio camino de perdición.

Este proceso de "estar arraigados" es continuo y gradual. Toma tiempo. Quizás años o aun décadas. Para algunos, puede ser rápido, para otros, no tan rápido. Este proceso de estar firmes en la verdad es quizás algo así como: despacio pero gradual. Como el concreto recientemente "vaciado", eventualmente, se solidifica y endurece. Ese proceso de endurecimiento no puede revertirse.

Una vez que el pueblo de Dios se haya consolidado en la verdad —en su irreversible lealtad a su Dios–, luego entonces… finalmente, ENTONCES, Dios derramará su Santo Espíritu sobre ellos con poder ilimitado, para hacer posible la rápida terminación de la obra que Dios ha encomendado a sus mensajeros, a su remanente.

Mostrando y hablando

Y cuando los que forman el pueblo de Dios testifican –cuando comparten su fe–, son más que pregoneros. Así como un buen maestro de caligrafía enfatiza que es mejor lo que se ve que lo que se dice en cualquier ocasión, la testificación motivada por el Espíritu, es más que compartir información, aunque puede incluir eso. Lo importante de la testificación del pueblo de Dios, sin embargo, no es lo que otros les oyen decir, sino lo que otros ven en cuanto a lo que son y su manera de vivir.

Al fin y al cabo, el pueblo de Dios mostrará en su vida cuánto poder tiene Dios para cambiar a los seres humanos, cuando éstos le invitan en forma irrestricta a que lo haga. El pueblo de Dios demostrará cómo Jesús pudo obedecer a su Padre al depender del poder divino, que son hijos e hijas del reino celestial. De esta manera, todo seguidor de Dios puede hacer lo mismo hoy, si depende del poder de lo alto como lo hizo Jesús.

Dios está más que deseoso de concluir este gran conflicto y acabar con todas las miserias de la humanidad. Es tiempo de que la falsa acusación de Satanás de que Dios ha diseñado una ley que no se puede cumplir (la excusa de su propia rebelión), debe rechazarse completamente. Aquí en la tierra ya queremos que el conflicto termine. Si esto es cierto, dispongámonos a ser plenamente transformados y usados por Dios cada día, permitiéndole que nos santifique hasta que seamos sellados para siempre como suyos, entonces podremos contribuir al pronto regreso de nuestro Salvador y Señor.

En algunas partes del mundo, la obra de la Iglesia es avasalladora, toca a las personas como un fuego descontrolado en un campo de pasto seco. Uno podría sospechar, sin equivocarse, que la lluvia tardía está comenzando a caer. En otros lugares, por contraste, las cosas son mucho más lentas.

Pero pronto las cosas van a cambiar.

La evidencia de lo que está pasando en el mundo que nos rodea debiera ser un llamado a despertar. El ambiente está saturándose de muerte. Tanto la libertad como la seguridad parecen estar bajo amenaza dondequiera. Las huellas de una devastación orquestada por el diablo circundan el globo. Todo apunta hacia algo extraordinario que va a sacudir a la tierra, y que va a poner todos los encabezados periodísticos en primera plana.

Nos quedaríamos mudos si realmente supiéramos cuán poco tiempo nos queda. Pronto la confrontación final entre el bien y el mal dominará todo. Y el remanente, los escogidos, los leales seguidores de Dios estarán en el centro del escenario cuando esto suceda. Porque en la última actuación del drama, Dios echará mano de sus Noés, sus Davides y sus Luteros.

¿Qué debiéramos estar haciendo ahora cuando el fin de todo se cerca? La respuesta, probablemente, es mucho más fácil si ha estado enamorado alguna vez. Quizás haya conocido el amor de un padre, de un niño, de un hermano, de una hermana o de un amigo. O quizás haya conocido el amor romántico, o el amor conyugal.

Si alguna vez experimentó lo profundo, lo hondo del amor, sabe que haría cualquier cosa por la persona amada. También sabe que uno de los más grandes placeres es decir a otros cuán maravillosa es la persona amada.

¿Qué deberíamos estar haciendo ahora? Mientras esperamos el cierre de esta gran controversia, ¿en qué deberíamos ocuparnos?

Lea nuevamente el penúltimo párrafo. Si está enamorado de Jesucristo, hará cualquier cosa por él. Estará deseoso de hacer las cosas que sabe que a él le agradan. Él quiere, sobre todo, que muestre a otros cómo es él, al permitirle vivir su vida en la suya. A veces le pedirá que comparta lo que sabe de su verdad. Él aun puede darle un don especial para la enseñanza, para la predicación o el don de compartir. Pero lo que necesita realmente de cada Adventista del Séptimo Día –y lo necesita hoy– es que cada uno de nosotros se convierta en un canal de amor y bendición para otros. Él quiere que vivamos y reflejemos su carácter tan claramente que a otros les sea imposible negarlo. Urgentemente necesita agentes humanos mediante los cuales él pueda mostrar a otros ¡cómo realmente es él! Jesús va a atraer a los rebeldes cuando éstos vean su amor manifestado de cerca.

Cuando nos enamoremos de Cristo, no seremos tímidos, ni nos dará miedo hablar a otros de Cristo. Sí, es cierto, tenemos muchas verdades que compartir con la gente. Pero nuestra misión primordial es traerlos a que conozcan y amen al mismo Salvador que nosotros conocemos y amamos. Una vez que lo conozcan y amen, el convencerlos acerca de las verdades de los últimos días, no será más ningún problema.

Los incontables fieles y leales desde el tiempo de Adán hasta los primeros años del siglo XXI se mantuvieron firmes por el Dios que amaban. No vacilaron respecto a la verdad, no contemporizaron con el error, ni aun para salvar sus vidas.

Algún día, muy pronto –indudablemente más pronto de lo que pensamos–, los Adventistas del Séptimo Día tendrán el privilegio de encontrar "en el más allá" a los leales que nos precedieron. Les pediremos que compartan con nosotros lo que significó para ellos mantenerse firmes de parte de Aquél a quien amaban. Y, seguramente, querrán saber lo que él significó para nosotros.

¿Existe, en verdad, una razón válida para permanecer por más tiempo en este mundo de miseria?

¿Qué le parece si decidimos darlo todo para terminar la misión que Dios nos ha encomendado?

¿Qué le parece si vamos a casa ya?

> *Dios ha tenido siempre un pueblo fiel y leal*
> *–los llamados, los escogidos–, y todavía tiene un*
> *pueblo especial hoy.*

CAPÍTULO 14

¿QUIÉN ES USTED?

U*sted es un Adventista del Séptimo Día*
Quizás nació en un hogar adventista; fue a las escuelas adventistas, y ha sido adventista toda su vida. O quizás "halló" a la Iglesia Adventista más tarde en su vida, dejando atrás a la iglesia de su niñez, para unirse a esta nueva iglesia, al remanente de Dios. Puede que sea un adventista muevo.

Usted es un Adventista del Séptimo Día

No es un católico, bautista, episcopal o metodista. Tampoco es miembro de la fe Judía, de las Asambleas de Dios, o de la Iglesia de Jesucristo de los Santos de los Últimos Días. No es Musulmán, Hindú o Budista. Tampoco es ateo, agnóstico o deísta.

Usted es un Adventista del Séptimo Día

Como tal, pertenece a una iglesia semejante a las otras; pero en asuntos fundamentales, muy distinta a las otras. ¿Qué otra iglesia cree, igual que la suya, acerca del significado del año de 1844? ¿En qué lugar escuchó a alguien hablar acerca del santuario celestial, del juicio investigador, o del tema "del gran conflicto"? Sólo unos pocos cristianos creen en la observancia del sábado, el espíritu de profecía o el estado inconsciente durante la muerte: los adventistas del séptimo día.

Usted es un Adventista del Séptimo Día

¿Qué significa esto para usted?

¿Cómo se siente ser un Adventista del Séptimo Día? En el programa televisivo de largo metraje para niños titulado "Plaza Sésamo", la ranita canta un canto titulado "No es fácil ser verde". No, por lo menos cuando usted es el único. Ser "diferente" puede traerle problemas al ser ridiculizado, puede causarle turbación y presión de los pares para conformarse con el grupo mayoritario. Y, a veces, muchas veces, ser un Adventista, puede no haber sido o no ser fácil para usted.

Orar en un restaurante; pedir un boleto de avión que incluya un platillo vegetariano cuando usted es el único que lo hace; de remar contra la corriente cuando solicita guardar el sábado; tratar de explicar el papel de Elena de White con respecto a las normas de su iglesia, sin ser etiquetado como un sectario o miembro de un culto, no es nada fácil.

Usted es un Adventista del Séptimo Día

Y como uno de tales, tiene toda la razón para sentirse orgulloso (no arrogante, ni fanfarrón, sino porque es parte de algo vital y único que Dios ha creado). Usted tiene toda la razón del mundo para compartir con otros su fe y sus creencias sin temor ni vergüenza alguna.

¿Qué significa ser un Adventista del Séptimo Día?

Considere algunas de las muchas respuestas posibles a esta pregunta:

1. Ser un Adventista del Séptimo Día, significa que es parte de un movimiento que Dios profetizó en su Palabra hace más de seis mil años, y que aparecería exactamente cuando llegara el tiempo; creer exactamente lo que este movimiento cree, tener evidencias claras que lo identifican como tal, significa que usted es parte de un pueblo profético, del pueblo remanente, que se levantaría al fin de las profecías de los 2,300 y 1,260 años.

2. Ser un Adventista del Séptimo Día, significa que –al margen de lo que las agencias noticiosas del mundo digan qué es importante– usted es parte de lo que DIOS piensa que es lo más importante en este siglo XXI. Usted es parte del sistema que Dios tiene para compartir el más urgente mensaje final que Dios jamás haya enviado a este planeta. Usted es la voz de Dios –y su vida es la demostración de ella– para los que le rodean, de que el amor y la verdad divinas transforman, y que el regreso de Jesús es inminente.

3. Ser un Adventista del Séptimo Día, significa que sabe que Dios ama a esta iglesia, lo suficiente como para darle todos los beneficios espirituales, incluyendo el don de profecía: un don que soporta las pruebas bíblicas para saber si el don es genuino o falso.

4. Ser un Adventista del Séptimo Día, significa que es parte de un movimiento dedicado a restaurar todo el espectro de las verdades de Dios para el mundo; las verdades

recuperadas en la época de la Reforma, y muchas otras verdades vitales y únicas para los últimos días, que ayudarán a hombres y mujeres a prepararse para el regreso de Jesús.

5. Ser un Adventista del Séptimo Día, significa que tiene la gran ventaja de saber cómo conservarse saludable, feliz, y santo, como es el deseo de Dios.

6. Ser un Adventista del Séptimo Día, significa que tiene una visión renovada y completa de la ley de Dios: sus mandamientos. Usted los ve, no como prohibiciones que le niegan placer y lo sumergen en una intolerable ausencia de gozo, sino como las amorosas orientaciones de Dios sobre cómo evitar el dolor, la perdición, y finalmente la muerte. Ser un Adventista del Séptimo Día implica que ha sido librado de hacer lo que la Biblia dice, porque lo tiene que hacer, en lugar de experimentar el gozo de seguir el camino de Dios, porque prefiere y quiere hacerlo.

7. Ser un Adventista del Séptimo Día, es aprender por experiencia propia qué significa "justificación por la fe". Su perspectiva de la salvación evita lo que, por un lado, se conoce como la "gracia barata", y por el otro, el legalismo. Evita cualquier ambivalencia respecto a lo que Dios ha hecho y lo que él quiere hacer por usted, y en usted.

8. Ser un Adventista del Séptimo Día, supone que, a diferencia de muchos otros grupos que son simplemente llevados por la inercia, y que hace mucho han perdido

la razón de su existencia, pertenece a una iglesia viva. Su iglesia existe por una razón: tiene una misión única en la historia de la humanidad; tiene una obra que hacer tan importante que, en el tiempo final, el mundo entero habrá de oír el mensaje de los tres ángeles que se hallan en el Apocalipsis, asociados con el mensaje del amor de Dios del Nuevo Testamento y de los Evangelios.

9. Ser un Adventista del Séptimo Día, implica que no es parte de una iglesia moribunda, una iglesia que flota en el agua. Usted es parte de un movimiento dinámico, que crece aceleradamente y que deja maravillados a los que analizan el crecimiento de iglesias.

10. Ser un Adventista del Séptimo Día, significa que no es miembro de algún misterioso culto local. Usted no es "disidente" de algún grupo religioso. Usted es parte de un movimiento mundial, conocido no únicamente por su rápido crecimiento, sino también por sus alcances misioneros a través de sus instituciones humanitarias, médicas y educacionales a nivel mundial.

11. Ser un Adventista del Séptimo Día, significa que su iglesia tiene prioridades claras. Nunca ha divagado y nunca lo hará, ni en la política, ni en la Nueva Era, ni en la teoría del desarrollo psicológico de la automotivación. Su iglesia no tiene como misión legislar sobre moralidad, sino levantar en alto a Aquel que puede crear un código de moral en el interior del ser. Su iglesia no se ha reinventado a sí misma, una y otra vez. No ha cambiado su "base". Sólo tiene un único

fundamento: Jesús y su verdad.

12. Ser un Adventista del Séptimo Día, implica comprender cómo su iglesia –y cómo usted mismo– tiene su lugar en el "mural" del largo conflicto de los siglos entre el bien y el mal, entre Cristo y Satanás. Usted es parte de los fieles del tiempo del fin; el último eslabón de la cadena de los verdaderos seguidores de Dios a través de la historia. Usted está unido a todos los fieles del pasado: los patriarcas y profetas, los escogidos de Israel, los apóstoles, los creyentes de la iglesia primitiva, los que sufrieron persecución durante los primeros siglos, los fieles de la Edad Media , los valientes reformadores, los vigorosos estudiosos de la Biblia y de las profecías sobre el Segundo Advenimiento y de los pioneros de su propia iglesia. Usted no está solo. Usted es capaz de ponerse de pie con valor, sin flaquear, a favor de Dios y de su Hijo Redentor. Usted se pone de pie para ser parte del último pueblo, necesario e indispensable, que sabe la urgencia del tiempo que queda… y que hay tantos todavía que necesitan ser traídos al Salvador y a su verdad.

Usted es un mensajero del remanente, que conoce el camino que lleva a la salvación, y que tiene la misión y el privilegio de compartir este conocimiento con otros.

Usted es un Adventista del Séptimo Día

Usted es uno de los escogidos de Dios para este tiempo. ¿Avergonzado? ¿Tímido? ¿Listo para esconder su [única y peculiar] luz debajo del almud? Considere más bien que el mundo necesita desesperadamente aquello que usted tiene. Muchos, muchos están buscando lo que usted ya ha encontrado y posee. No, usted no es gente rara. Usted es el que tiene el pan para los hambrientos que, junto a usted, viven en este planeta y que lo necesitan con urgencia. No, usted no es un ser extraño. Usted es el que sabe dónde está la Perla de gran precio.

¿O tiene miedo –al echar un vistazo a la historia de los primeros fieles de Dios– de que finalmente sea objeto de persecución? ¿Miedo de pasar a través del Gran Tiempo de Angustia? Bueno, aparte de las promesas de la Biblia de que su pan y su agua están aseguradas, aparte de las promesas asombrosas del Salmo 91, recuerde: Dios sabe quién podrá soportar no sólo la persecución, sino si fuere necesario el martirio. Él no le llamará a pasar por esto, a menos que le provea todo lo que proveyó a los que fueron perseguidos en épocas pasadas. Así, pues, aférrese a las promesas de Dios, no al temor. Dios no desea que vivamos bajo el peso de la inseguridad y el temor.

En lugar de eso, enfóquese con anticipada felicidad en el fin de la miseria de esta vida. Celebre la inminente erradicación del dolor, las lágrimas y la muerte. Prepárese para abandonar esta tierra a cambio de una paz perfecta, eterna felicidad y la realización asombrosa de todos y cada uno de sus santos deseos.

Usted es un Adventista del Séptimo Día.

Usted es uno de los últimos leales a Dios.

Usted es parte de la cadena irrompible de fieles.
¿Cuán afortunado, cuán bendecido, puede ser?

> *Dios ha tenido siempre un pueblo fiel y leal*
> *–los llamados, los escogidos–, y todavía tiene un*
> *pueblo especial hoy.*

Algunas fotografías del álbum
de la familia adventista

Guillermo Miller, ayudó a impulsar el Gran Movimiento del Segundo Advenimiento en la primera mitad del siglo diecinueve.

La capilla de Guillermo Miller

El hogar de Guillermo Miller En su finca en Low Hampton, Nueva York

Elena G. de White (arriba, izquierda), su esposo Jaime (arriba, derecha), y el capitán José Bates (abajo, izquierda), fueron los fundadores de la Iglesia Adventista del Séptimo Día. Abajo (derecha) William C. White, hijo de la señora White y devoto apoyo durante los últimos años de ministerio de su madre Elena.

En la foto de arriba, "Elmshaven", la casa donde vivió Elena de White los últimos años de su ministerio. Estaba ubicada cerca de Sta. Helena, en el norte de California.

A mediados del siglo XIX, el doctor adventista John Harvey Kellogg estableció el Sanatorio de Battle Creek en Michigan. En la fotografía del centro aparece el Sanatorio tal como era antes de que fuese destruido por el fuego de 1902.

Abajo el Sanatorio tal como se

En 1905, Elena G. de White, con la ayuda del pastor John Burden, promovió la compra de un retiro de vida saludable, ubicado en una pequeña colina llamada Loma Linda, en el Sur de California (fotografía de arriba). De ese humilde comienzo, Loma Linda creció hasta convertirse en una universidad de renombre mundial con una también famosa escuela de medicina. La fotografía de abajo muestra el Centro

En los primeros años del siglo veinte, se estableció un pequeño dispensario en la Avenida Boyle, en el sur del centro de Los Ángeles, California. La obra médica misionera que empezó allí, ha crecido desde esa fecha, hasta convertirse en lo que hoy es el Centro Médico "White Memorial" (abajo), y que lleva el nombre de Elena G. de White, cofundadora de la Iglesia Adventista del Séptimo Día.

La Iglesia Adventista del Séptimo Día dirige cerca de 60 casas
publicadoras alrededor del mundo. La Asociación Publicadora
Interamericana (arriba) en Miami, Florida, EE.UU, sirve a la División
Interamericana y la Asociación Casa Editoria Sudamericana (abajo)
en Buenos Aires, Argentina, a la División Sudamericana.

Edificio de la sede mundial de la Asociación General de los Adventistas del Séptimo Día (arriba), y el rótulo y logo del edificio de la Asociación General (abajo).